AN CHOILL

An Chéad Eagrán 2016
© Liam Mac Cóil 2016

ISBN 978-1-909907-69-0

Clóchur agus dearadh: Caomhán Ó Scolaí

Clódóireacht: Clódóirí Lurgan

Foras na Gaeilge

Táimid buíoch d'Fhoras na Gaeilge as a dtacaíocht airgid do Leabhar Breac

Tugann An Chomhairle Ealaíon tacaíocht airgid do Leabhar Breac

Leabhar Breac, Indreabhán, Co. na Gaillimhe.
Teil: 091-593592
www.leabharbreac.com

Imleabhar 2

Is sa chló a dtugtar 'Bembo' air atá an leabhar seo clóite. Cló é sin a dearadh faoi stiúir Stanley Morison i gcomhair an Monotype Corporation timpeall na bliana 1929. Is í an eiseamláir a bhí aige cló a dhear Francesco Griffo i gomhair na leabhar *De Aetna* le Pietro Bembo agus an leabhar mór, *Hypnerotomachia Poliphili,* a d'fhoilsigh Aldus Manutius, sa Veinéis sa bhliain 1499.

Scríbhneoir agus file ba ea Pietro Bembo (1470-1547), ceannaire ar na Ciceroniani sa Veinéis agus duine mór le rá sna ciorcail chéanna intleachtacha le Giulio Camillo, Sebastiano Serlio, Tiziano Vecellio, agus Aldus Manutius féin.

AN CHOILL

LIAM MAC CÓIL

LEABHAR
BREAC

A
M
AM
MA
MAM
MAMA
AMMA
AMTHA
AMTHU
AM THÚ
IOM THÚ
IOM THÚS
IOMTHÚSA
IOMTHÚSAN
IOMTHÚSA AN
IOMTHÚSA AN FHIR
IOMHTÚSA AN FHIR AIN
IOMTHÚSA AN FHIR AINEOIL

Iomthúsa an fhir aineoil iomorra tharla é i gcoill dhiamhair. Amhail do bheadh caite ón spéir anuas, do thit chun cosa an chrainn láidir, i dtús maidine, in am prímhe de ló.

Bhí sé ina fhaonluí ansin ar an talamh nocht sínte ar lár i bhfodhomhain foraoise, i bhfad ó shlua agus ó shochaí daoine. Níorbh fheasach dó a bheith ann. Níorbh fheasach dó a bheith. Níorbh fheasach dó.

Bhí sé cumhdaithe go cluthar i gcúil coilearnaí, gan oireas gan iúl, gan mothú gan iomrá, gan aithne gan urlabhra. Théigh na bileoga buí rua a cholainn lag agus mhaolaigh caonach bog na glaschoille fiacail seaca an dúgheimhridh. Ba chodladh dó ansin go soineanta sámh, go soinmheach sáil

amhail éinín soiprithe
san olannacht amhail
leoinín i gcruinnteach
amhail laoidín i loc
nó leanbh aonlae ar
leaba bhog a mháthar.

Bhí sé ina fhaonluí ansin faoi bhun na mbilí craobh-aithe insa choill mhór dhorcha sealad fada agus níorbh fheasach dó an lá nó oíche a bhí ann.

II

Dhúisigh an fear aineoil ansin agus d'oscail sé a shúile. Níor aithin sé aon ní. Níor chuimhin leis an dóigh a ráinig an chiarchoill. Bhí na crainn timpeall mór agus dlúth agus na craobhacha chomh fite tiubh sin nach bhféadfadh aon gha gréine teacht tharastu. Rinne sé iarracht a cheann a ardú agus níorbh fhéidir leis.

Bhreathnaigh sé uaidh thar an mbrat duilleach nárbh fheasach dó gur bhrat duilleach é agus ní cian go bhfaca ionadh anaithne .i. solas geal agus dealramh órga. Amhail a sháfaí ga aonair gréine i mbolglár na coille, beodh an áit timpeall le loinnearthacht ghlé agus folaíodh an talamh amhail de bhrat nua niamhghlan. Ba lasta an áit uile leis na ruithní gréine. Bhí míle céad seoidíní ag lonradh iontu. Bhí mar a bheadh doirse na gréine agus feinistrí an earraigh arna oscailt ar oiribhear aoibhinn múrtha .i. gairdín bláith fosaidh fálaithe. Tríd an oiribhear bhí conair ag lúbadh. Ní fhaca sé sin. Ach chuala sé dar leis cuisleanna ceoil á seinm i bhfad i gcéin. Tháinig aoibh air. Ba mhaith sin.

Mhúscail dóchas éigin ann. D'fhéach uaidh an fhoraois álainn iontach. Rinne iarracht éirí agus níor fhéad sé. Shín sé a lámh amach i dtreo na ndrithlí gréine. Bhuail a mhéara in éadan ruda. Rug air. Agus níor b'aithnid dó an ní ros-fug. Níor fhan an ní aige ach d'éalaigh uaidh. Chuir sé strainc air féin. Rug greim láimhe arís ar ualach an ruda. Scaoil. Amhail sin do bhí sealad fada, balbh agus leath-chaoch, gan iúl gan eolas sa mhothar craobhach. D'imigh an t-iontas. D'éalaigh an ghrian léi. Níor fhan.

III

Rinneadh fuacht den teolaíocht shámh agus den tirime ghnách rinneadh fleochadh. Ní bog a bhí an talamh faoi níos mó ach cnapánach crua. Níor mhaoth an duilliúr ruaite anois ach garbh lena ghrua nocht. An solas geal, bhí sé anois ar iarraidh agus bhí an dorchadas ina bheatha arís mórthimpeall.

Níor mhín leis a luí níos mó, ar an talamh teann gan teas gan treorú. Bhí sé amhail is go raibh falla feá thart timpeall agus na doirse uile ann iata air agus eisean ina luí ar chaolrach chodarsna, faonlag le fraigh, gan fortacht, agus a chloigeann ar fhrithadhart coinlíní a bhí ag forchuimilt lena chluasa. Léim daigh cumha isteach ina chroí agus níorbh fheasach dó cén fáth.

Ní cian gur shín sé a lámh amach sa duilliúr donn arís. D'airigh sé arraing ghéar ina mhéar gan choinne. Chuaigh spíon isteach ina mhéar amhail is go raibh sí gonta ag fiacail nimhe. Bhí sé i bpéin chontanóideach. Ro ghabh for ghubha agus tuirse agus do bhí ag gol is ag éagaoin. Bhí éamh uile an domhain mhóir ina ghológ ghéar shobhriste.

Bhí sé ag ochadh agus ag acaoineadh sealad fada ag déanamh dobróin faoin éigean ina raibh, faoi dhoichte ghruama na coille, agus faoi dhoscaoilteacht an tsaoil timpeall air. Ansin go tobann ní raibh aon phian ann níos mó agus níorbh fheasach dó cén fáth. D'fháisc sé chuige

an cruas lasmuigh agus an bhoige laistigh, an barrghol is an buntost, an aithnid bheag is an aduaine mhór. Ní cian gur thit a thoirchim suain is sámhchodlata air.

IV

Ar maidin iomorro d'ardaigh sé a cheann. Thug sé a lámh thar a aghaidh agus d'fhéach sé an fhoraois álainn iontach. Ba é an t-am den lá a bhí ann béal na maidine niamhraí. Bhí intinn mheanmnach aige agus dóchas maith. Thionscain sé for éirí. Treascraíodh dochum talún é .i. thit sé. Níor chuir sé i mbrí an méid sin agus thionscain for éirí arís. Treascraíodh dochum talún arís é. Ba náir leis sin.

Thionscain for éirí an tríú huair. D'éirigh. Sheas. Ach go hantráthach bhí urlár na coille breac le bacanna, le lomáin, le cearchaillí leathcheilte, is le buinneáin coill. Coiscéim dar thóg sé bascadh a throigh agus leagadh dochum talún arís é. Do gháir agus do ghréach sé.

Do ghabh bá agus connailbhe na crainn mhóra timpeall um chabhrú leis. Bhí géag den chrann láidir ina fhreacnarcas. Shín sé a lámh amach agus rug uirthi. D'éirigh sé ina sheasamh. Do bhí ina sheasamh ansin go daingean díreach, mar bhile i measc na gcrann coill.

Chuaigh sé d'fhéachaint na coille timpeall. Ba é an t-am é nuair a bhí an choill ag craobhú agus na crainn á gclúdach le duilliúr úr. Rug sé ar lúb ghéige dochum tacaíochta agus chuaigh an spíon chealgach isteach ina láimh. Amhail gur theagmhaigh sé le teanga nimhe caitheadh siar é ón ionad baolach agus do leagadh dochum talún é.

Ghoin scanradh beag anaithnid a chroí. Bhí buairt air. Ach i siosarnach na gcrann dúileach fuair faoiseamh, i ngormghaois ghrámhar an mhothair óig úrghlais fuair sólás, agus i siosmaid dhocht na gcoll fuair sé an spreagadh a theastaigh. Tháinig forbairt ar a bhríonna.

Ní cian go raibh ina sheasamh arís. Rug sé coiscéim

fhaichilleach dhígeanta chun tosaigh agus chuaigh d'fhéachaint na foraoise an athuair.

V

Is ansin a fuair sé ionadh anaithne. Chonaic sé i measc na gcrann dorcha, mar a bheadh fálaithe ag sonnach scáth, solas donnbhuí. Saighneán dealrúch ón ngrian ghlanruithneach a d'éalaigh isteach sa chiarchoill. Shoilsigh sé taobh crainn go raibh coirt an chrainn amhail cré-umha slíobtha nó fleasc fionnruine arna adhnadh ó theas na tine diamhaire. D'fholaigh an loinnir an duille úr amhail de bhrat niamhrach samaíte arna fhí d'órshnáth lonrach ghléghlan.

Gairid iomorro ina dhiaidh sin gur chuala sé ceol maothbhinn amhail claisceadal aingeal dá ionsaí agus chuaigh an solas i ngile agus rinne craobhra glégheal airgid den duille timpeall agus rinne an chraoibhín ghealóir nótaí binne ceoil le croitheadh na caoinghaoithe. Líonadh an choill de bholtanú neamhaí amhail a bheadh túis agus miorr agus áraim agus luibheanna dea-bholaidh na beatha seachnóin na coille. Gheall an t-iontas dó aoibhneas an ghairdín agus pléisiúr comaoineach an oiribhir.

Ro ghabh toil é faoi dhul agus breith ar an gcraoibhín, óir ní fhaca sé go hiomlán í thar an bhfolach duilliúir a bhí thairisti. Ba fó leis í a fheiceáil agus a thógáil ina láimh, an chraoibhín álainn a bhí ag lonrú anonn is anall agus ag déanamh ceoil. B'ionadh leis ní chomh huasal léi a bheith san fháschoill, seoid os séada ar ghloine agus ar áille.

Ma, ol sé, ag gearradh aer na foraoise dó leis an bhfocal.

Chuaigh sé d'ionsaí na gile ach tharla mainnear de fhleasca imramhra géag idir é agus an solas .i. fál drise agus slata droighin. Shín sé a lámh amach i dtreo na gile agus d'imigh an solas neamhaí uaidh i gcéadóir agus ní feas dó conas tháinig ann nó cá háit a ndeachaigh arís. D'éalaigh an ghile uaidh agus níor fhan.

Ba mhian leis an solas a leanúint agus níor fhéad le daingne na n-eachlasc drise agus draighin agus dlús na lusanna feá uile ina thimpeall. Agus leagadh dochum talún arís é.

Fágadh an fear aineoil ina aon is ina uatha ar lár, gan fuigheall gan focal, ina luí ar an talamh dúr dí-ainm i bhfrithneasacht na féinaithne. Agus rinne sé amhras ar an loinnir do chonaic, óir níor ba deimhin leis anois nach fís a chonaic. Ba dhaigh cumha ina chroí an méid sin agus ba leamh leis feasta an choill dhorcha agus an riocht caillte ainbhiosach ina raibh sé.

VI

Arna mhárach iomorro is ea do bhí forbairt ar a bhríonna agus thionscain sé for éirí. D'éirigh an fear aineoil go hiontach allata ard-uaibhreach. Tharla ansin ina shuí é, rug sé coiscéim mhaith chun tosaigh. Labhair sé ansin agus is é asbeirt.

Maith, ol sé.

Rug coiscéim eile.

Maith, ol sé arís.

Rug coiscéim eile fós agus bhí cos lastuas is cos in íochtar riamh leis.

Maith maith, ol sé agus rug ar an bhfocal.

Agus ghluais sé roimhe. Bhí meanma neartmhar aige agus dóchas lán. Chuaigh sé den leith chlé agus ansin den leith dheis ag lorg conaire dó féin tríd an bhfáschoill. Chuaigh sé thar na crainn uile timpeall agus thar na draighin, thar na driseacha agus thar na feirdhriseacha, agus thart ar na lusa feá eile go léir a bhí sa bhealach air. Níor theastaigh uaidh go ngoinfí arís é le spíonta nó go leagfaí dochum talún é an athuair.

Bhí urlár na foraoise á bhreacadh le solas na gréine agus le scátha dorchachta araon. Ba mhó de scátha dorchachta a bhí ann ná de sholas na gréine. Ba gheal leis na fáinní solais do chonaic sé anseo is ansiúd, ach ba dhoiligh leis teacht fad leo le tiús na ndriseacha imramhra agus le haimhréidh dhoisheachanta na coillearnaí. Bhreathnaigh sé timpeall ar na bilí feá agus ar na crainn mhóra choirteacha.

Seo í an choill, ol sé.

Bhreathnaigh sé scáthanna iomadúla na coille den leith chlé agus den leith dheis agus taobh thiar de, archeana, agus roimhe.

Seo í an choill mhór dhomhain, ol sé amhail is gur aithin sé í.

Shuigh sé ar omhna imramhar agus d'fhéach an choill. Mheáigh sé an uile ní timpeall. D'fhéach ar an bhfásra líonmhar a bhí ina fhreacnarcas. Ba dhlúth iad na crainn agus b'aimhréidh an chaithreáil drise. Bhí sé gafa i ndiamhair agus i ndíchealta na foraoise dorcha.

Ní cian gur labhair sé arís agus is é asbeirt:

Seo í an choill, ol sé, agus seo mise inti.

Agus ar mbeith scítheach dó, luigh sé siar agus ní cian gur thit a thoirchim suain is sámhchodlata air.

VII

Iar ndúiseacht dó d'fhéach sé ar bharra a mhéar san áit ar láithrigh siad gar dá smig. Ba gheall le haingil bheaga iad. D'fhéach sé orthu ina gceann is ina gceann. Ba ghean leis iad.

Mochean bhur dteacht, ol sé. Scéal libh dúinn, a chompánaigh charthanaigh?

Bheannaigh na cloigne dó ina gceann is ina gceann ach níor fhreagair.

Ná déanaigí amhras ormsa, a ridirí naofa, ar seisean, a mhéara dílse.

Ach d'fhan na méara ina dtost archeana. Níor mhoill air labhairt an athuair.

Sibhse danó, ol sé, an ro tarfas daoibh an ní atá sibh ag iarraidh?

Níor fhreagair na méara tláithe ach ag gliúcaíocht air anall gan aon ní a rá agus gan aon eolas a thabhairt dó faoina raibh i ndán dó.

Thit tost mór ar an bhfear aineoil. Bhí cumha air mar gheall ar neamhfhreagairt na méar.

D'imigh na méara leo agus mhothaigh sé ar n-ais i ndoimhneacht dhiamhair coille.

Nach mise amadán mór na foraoise, ol sé leis an aer. Mac dílis an aineolais.

Luigh sé ansin sealad, ina uath is ina aonar, gan aon duine beo ina fhreacnarcas, é ar tí gol agus gan aon bhunús leis.

VIII

Ní cian gur tháinig forbairt ar a bhríonna.

Maith séan agus sola, ol sé. Is mithid éirí.

D'éirigh sé ina sheasamh go hiontach athlamh. Dhearc sé anuas ar a throithe agus ar an gcosbheart donnleathair a bhí umpu gona fheirbíní gorm dearg agus buí.

Seo iad na troithe, ol sé.

Thug na troithe léim.

Is fáilí na troithe, ol sé.

Agus bhreathnaigh sé ar na troithe arís agus is é asbeirt:

Seo linn.

B'fháilí na troithe is na cosa don scéala sin go deimhin agus d'fhreagair dó.

Do thionscain sé ascnamh for séad .i. conair .i. cosán, is é sin le rá, bhuail sé rian, mar b'fhada leis gan dul d'fhéachaint na foraoise. D'fhág sé slán le boige mhotharach a leapa luí, le sáile a iomdha dhuillí agus thug aghaidh go haiteasach antuisceanach ar an bhforaois mhór dhorcha.

Ghluais sé roimhe go soinmheach soineanta, gan chomhairle gan chiall. Bhí intinn mheanmnach ghliondrach neamh-imeaglach aige agus dóchas maith. Níor chuir sé dada i mbrí ach é ag imeacht leis. Níor mheáigh sé aon ní dá raibh roimhe ach é ag tuisliú agus ag tréanrith mar a d'oir. Níorbh fheasach dó céard air a leagfadh sé a chos, ar chlaonfhód nó ar fhód slán, nó cé acu gairdeas nó caoineadh a bheadh de bharr a imeachta aige tríd an gcoill. Níor dhodhéanta dó ní ar bith. Níor ní leis é dá mbuailfeadh cois in éadan lomáin nó troigh in éadan teanntáin fréimhe; nó ní raibh aon chuimhne aige go gcaithfí síos é i bpoll nó in aibhéis agus go slogfadh an talamh é. Ó, ní raibh ann ach amadán. Amadán droch-chéille díchoiscthe. An t-amadán is mó ar domhan. Níorbh fheasach dó ní ar bith. Níor ba chuimhin leis gur iata i ndoimhneacht dhiamhair choille a bhí sé agus gan aon teacht aige as. Níorbh fheasach dó eacaineacht thar acaoineadh. Ach ní náir do dhuine a bheith ainbhiosach sa rud nár múineadh riamh dó agus lean sé air go sásta trí anord agus trí aimhréidh na foraoise.

Ní cian go bhfaca sé maide láidir sa talamh roimhe. Rug sé ar chos an mhaide agus tharraing go héimh as an talamh é amhail a bheadh gan choinneáil air. Bheartaigh sé an maide ina láimh agus as a haithle sin do ghabh ag bascadh agus ag briseadh na bhfialus de bhrathbhuillí baotha. Ghluais sé roimhe ar an dóigh sin amhail is dá mbeadh gadhar beag giobach ag tafann lena shála nó cat crainn ag iarraidh preabán a bhaint de thóin a bhríste.

Thóg sé bláth bán de bharr an lusra agus chuir lena shrón é agus choinnigh os comhair a shúl é amhail is gurb é ba threoir dó is gur air amháin a bhí a anam beo. Bhí an t-aer bog lena ghrua agus fáillí lena ghruaig. Bhí an talamh daingean faoina chosa agus ba fó leis foghar a throithe ar an duilliúr briosc. Bhí sé ag imeacht roimhe go macnasach ar an dóigh sin sealad fada gur tháinig tuirse air.

IX

Agus ar mbeith scítheach dó shuigh sé síos agus ghlac sé a shuaimhneas. Shuigh sé ar omhna imramhar dubh agus leag sé uaidh an bláth agus an maide. Chuir sé méar lena bhéal amhail Ἁρποκράτης agus d'éist. Bhí gach rud ciúin síochánta ach siosarnach séimh íseal i nduilliúr na gcrann. Ní raibh aon ní beo ag corraí. Ro ghabh ag féachaint seacha na háite ina raibh. Bhí an aimsir go haoibhinn agus féach an choill féin faoina róba úrghlas, dúghlas, agus glasbhuí, agus a seanróba ruadhonn silte ar lár. Bhí an craobhra dlúth dearmháil os a chionn. Agus leata faoi chosa na gcrann, bhí brat niamhghlan gléghlas breacnaithe de luibhre amhra agus de bhláthanna dea-bholaidh na coille. Bhí na hilbhláthanna amhail céad míle réaltóg ag glioscarnach, bán agus buí agus bánbhuí, ar urlár na coille. D'airigh sé an leoithne ghrástúil lena ghrua agus ghéill sé don uain agus don aoibhneas.

Ba ghairid iomorro gur tháinig faoi fheinistrí a shróine boltanas úr leamh an chreamha. Chonaic sé i ngar dó iomad bláthanna fíneálta bána leabaithe i nduilliúr sleamhain daolghlas. Chuaigh sé ar a ghogaide agus theasc na duilleoga agus d'ith iad. Bhí blas géar éadrom orthu a thaitin leis. Fuair sé ina measc, archeana, duilleoga an tsamhaidh shaighdigh agus d'ith iad agus an tseamsóg shearbh agus an bhóchoinneall bhuí, an tursarraing bheag, an fliodh agus an beathnua agus sa chré dhubh thíos fuair fréamhacha na niamhnaite agus an mhacaill coille .i. an beinidín. Agus bhí meacain agus luibhre na talún, glas a ndath, á dtomhailt aige ar an dóigh sin. Ach bhí cuid ann nár bhlais sé .i. an lile bán agus an lus croí.

Fuair sé a dhóthain de shástacht is de lánsásamh ar na luibheanna agus ar na meacain lena mblas agus lena milse gheanúil. Ó, ba fó leis an t-oiribhear aoibhinn coille ina raibh sé ar a áille is ar a shíocháin. Bhí ceol binn séaghainn na n-éan sna crainn ann agus scinneadh na héanlaithe tríd an duilliúr glas agus chuala sé mioneathaidí agus ainmhithe beaga ag scríobadh sa bhrosna in aice leis agus bheannaigh sé dóibh uile agus labhair leo de ghlór íseal agus is é asbeirt:

Mochean daoibh, a chompánaigh cheilte, ol sé. An ro tarfas daoibh fós an ní atá sibh ag iarraidh?

Agus d'éist sé le ceol séimh maolaitheach na coille, ghéill arís don tsíocháin samhraidh, bhlais arís na gealáin gréine a d'éalaigh tríd an duilliúr isteach, gealáin ar gheall le sileadh teolaí bainne iad ar a chraiceann íogair. Thairisnigh sé sa suaimhneas ainglí, san áilleacht iolartha, i maorgacht mhongach na gcrann agus i dtinfeadh áthasach an damhna uile. D'fháiltigh roimh an nua agus roimh an soineann eadránach, roimh chantain bhinn na n-éan sa chraobhra thuas agus roimh aoibhneas iomasach na ndúl. Tháinig forbairt ar a bhríonna.

X

As a haithle sin, d'éirigh sé ina sheasamh go hathlamh, rug ar an mbonsach maide, agus d'imigh leis ag lorg conaire amach as an gcoill. Ghluais sé roimhe amhail is gur dó a bhéarfaí tionscadal an scéil agus a fhorbairt iar dtain.

Chuardaigh sé an áit ina thimpeall go díocasach agus níor fhág cúil ná cearn gan iarraidh agus gan fhéachaint go griongalach. Bhí sé ag imeacht leis mar sin sealad fada gan a fhios aige an áit a rachadh agus gan aon chonair tarlú dó ach cosáin chaocha agus séada seachmaill agus caolslite saobhchiallda ag lúbadh leo tríd an gcaschoill dhlúth. Ní cian go raibh for seachrán agus for mearú, ag imeacht fiarlaoid na foraoise gan iúl gan urmhaise slí.

Is ansin a chonaic sé an dealán dé .i. an t-eitleachán niamhdhathach .i. an féileacán geal, ag eiteallach go headarbhuasach os a chionn in airde. Thuirling an féileacán ar chraobh mhín in aice leis. Shoilsigh ga gréine na sciatháin dhrithleacha. Do thaitin sin leis. D'éirigh an t-eitleachán san aer eadarbhuas agus d'imigh.

Lean an fear aineoil an eathaid alluaiceach. Bhí súil aige go dtreoródh sí go cearn soshiúlta den fhoraois é. Lean sé í tríd an bhfásra. D'imigh an dealán dé léi ag eiteallach gan tromacht tairr gan mheáchan coirp gan eimhealtas croí ó bhláth go bláth agus ó chraobh go craobh. Ach níor mhar sin dó féin ach é bactha agus frithchurtha, ceangailte leis an talamh.

Choinnigh sé a shúile go dlúth ar an eitleachán álainn agus í ar foluain amach roimhe agus lean sé go croí-éadrom cairdeasach í. Ní fhaca sé an scailp faoina chosa.

Caitheadh le fána isteach san aibhéis é. Caitheadh síos síos é agus cealgadh a chos. Bhí a chos gonta amhail ag fiacail nathrach. D'iompaigh an ghile ina dhuibhe dhuairc agus an duilliúr bog ina chré chlochach chrua faoina cholainn. Is amhlaidh a bhí sé caite i gclais dhomhain amhail ón spéir anuas.

Ghabh imní é agus é ina uath agus ina aonar san aibhéis dhorcha. Bhí meadhrán is mearbhall ar a chiall. Ach ní archeana, níor fhulaing dó gan teilgean deor thar ghrua dó.

Bhí faitíos air roimh na hainmhithe allta a d'fhéadfadh a bheith i bhfolach sa choill timpeall agus a d'fhéadfadh teacht anuas sa pholl agus breith air agus oidhe agus ainíde a imirt fair. Ná níor ba deimhin leis an bhfaigheadh bealach amach as an anacair ábhaigh easolais.

Bhí a chos frithir ach ní raibh sí leonta. Ghlac sé misneach. Rug ar a mhaide crainn agus lena chúnamh sin dhreap aníos as an gcarcair talún, é briste brúite, brónach buartha, lag agus croímhall.

Bhí tart air archeana. Níor fhéad an t-aer fionnuar thuas é a shásamh nó fóirithint ar a thriomacht bhéil. Ghlac sé misneach beag agus shocraigh an tart a shásamh i gcéadóir mar ba tart domhain iltaobhach é.

D'imigh an fear aineoil iar sin go tuisleach ag iarraidh foinse uisce .i. tobar, agus ro ghabh ag féachaint seacha i gceatharaird na foraoise d'fhios a bhfeicfeadh sé ceann. Agus ó nach bhfaca, ro ghabh ag éisteacht ar gach leath de d'fhios an gcluinfeadh sé foghar uisce nó fodhord srutha nó monabhar sreibhe sobhlasta ag sileadh i gcúil éigin den fhoraois. Chuardaigh sé mar seo mar siúd feadh cosán caoch agus frithchosán go dtí gur

tharla, trá, tobar dó ar an séad agus é ar
seachrán. Bhíog foghar sreibhe agus
chuala sé féith d'fhíoruisce láidir úr
ag boilgearnach amach as tobar
beag fíorálainn. Shníomh an
sruthán glé guairneánach
gormghlan leis tríd an
luifearnach idir
na clocha trí
chaolán
is
níor
dheacair
é a shamhlú
ag méadú leis i
gcónaí agus ag iompú
ina abhainn mhór anfach ag
imeacht léi thar charraigeacha
agus thar chabhlacha de chrainn
leagtha ag imeacht tharastu agus níor
mhoilligh siad a sruth ach bhí sí ag dul i
neart is i neart agus iliomad sruth, sruthán
agus aibhneacha eile ag sileadh anuas as na
sléibhte, iad méadaithe ag an sneachta a bhíonn
ag foirmiú iontu sin agus an abhainn ag leanúint
uirthi ag tnúthán leis an má fhairsing fhéarghlas ar
an taobh thall agus ag fairsingiú léi ansin amach ar

mhá mhór na beatha agus ag lúbadh go réidh
mall léi sna háiteanna nach raibh aon radharc
aige orthu ach a shamhlaigh sé a bheith leathan
láibeach daonmhar dlúth san áit a gcomhfhogasann
an abhainn mhór fáithimí fuara na farraige agus go
mblaiseann sí ar a teanga an tsáile mhilis agus go mbog-
ann léi amach isteach i mbaclainn na bóchna móire agus
go gcailleann í féin sa mhuir mhór sa mhuir mhór ábhal
sa mhórmhuir ábhal mhaol fhuar fhairsing sa deireadh.

XII

Chuaigh sé d'ionsaí an fhoghair bhinn shéimh agus ní
cian go raibh ina sheasamh leis an sruth íon úruisce, an
t-uarán gléghlan gormghlas. Do lig a ghlúine faoi ar
imeall an tsrutha agus le cuas a dhá bhos rinne
soitheach. D'ardaigh sé an t-uisce chun a bhéil agus bhí
ar tí é a bhlaiseadh agus a thart a shásamh nuair a chuala
sé cantain éin in airde géag. Bhí an ceol chomh binn
blasta le haon ní dár chuala sé riamh. Bhí binneas ann
thar insint béil. Agus d'ardaigh sé a ghnúis mhánla
féachaint an bhfaighfeadh sé radharc ar an éan agus
chonaic sé an t-éan ba dheise dá bhfaca sé riamh, dath
an óir air agus é ina shuí i mbarr na ngéag. Lig sé don
uisce síothlú idir a mhéara agus lean air ag éisteacht leis
an gceol neamhaí a raibh oiread sin dúile aige ann.

D'éirigh an t-éan as an áit a raibh sé agus dhruid

uaidh tamall. Thosaigh ar a chuid ceoil arís. Lean sé an
t-éan. Chonaic in airde é, borrach le broidearnach a
chuid cantaireachta, ina shuí ar chraoibhín airgid faoi
bhláth bán agus an uile ní ag glioscarnach faoi sholas
milis na gréine. Sheas sé faoin gcrann ag breathnú suas
ar éinín álainn an tsonais agus é ag éisteacht lena cheol
síreachtach sírbhinn agus an t-éinín ag canadh agus ag
ceiliúradh sa duilliúr ar bharr na ndos ndlúth ndea-
thortach agus i mbarr na ngéag ngormach nglasgheal.

   Ba mhian leis labhairt leis an éan ach b'fhearr leis a
bheith ag éisteacht leis. Níor labhair sé ar an ábhar sin
ná níor chuir sé caidéis ach d'fhan ina thost archeana.
Léim an t-éan álainn ó chraobh go craobh agus dhruid
níos sia uaidh isteach san fhoraois ag ceiliúradh leis.

Lean sé an foghar binn arís ach chuaigh an t-éan thar a radharc agus d'imigh an ceol meala i léig. Ach lean sé sa siúl é ag féachaint ó chrann go crann ar lorg an éin a thabharfadh amach as an gcoill é agus a threoródh é chuig gairdín aoibhinn na síthe agus na subha. D'fhéach sé na crainn ó chrann go crann ach ní bhfuair aon radharc ar an éan.

Is ansin a labhair sé leis an éan. Shín sé a lámh amach i dtreo na háite a shíl sé a raibh an t-éan agus is é asbeirt:

Mise mise, a éinín aoibhinn, ol sé.

Ní raibh a fhios aige a ainm.

Mise Sir Mise, ol sé.

Agus chuimhigh sé air féin arís agus ar a fhíorainm ach bhí ceol an éin tar éis mearbhall a chur air.

Mise Sir Bile, ol sé, bráthair an choill, dalta na niatachta, agus mac dílis na foraoise.

Lean sé air ag glagaireacht go soineanta mar sin agus is é asbeirt:

Is breá liom do cheol, a éinín órga, ach ní aithnid dom thú agus ba mhaith liom aithne a chur ort.

Ansin bíodh is nár chuimhin leis é roimhe sin fuair sé fios ar a ainm agus dúirt:

Ba mhaith liom go mbeadh aithne agat orm agus agamsa ortsa, a éinín bhinn, ol sé. Is mise Sir Meliant. Meliant an Mhisnigh.

Ach bhí an t-éan arna imeacht uaidh le tamall maith roimhe sin. Níor fhan.

XIII

Sin é an uair a bhí brón agus aiféaltas air. Ghabh sé ag aifirt agus ag iomaifirt air féin um an mbaothchiall ar a raibh nár labhair sé nuair a bhí an t-éan ina fhreacnarcas agus nár chuir sé ceist. Agus do ghabh ag athchumadh na bhfialus timpeall lena mhaide crainn de bhrathbhuillí badhbha de gach leath de. Lorg sé conair insiúlta agus ní bhfuair sé ceann.

Ní fíor, ol sé leis féin iar sin, ní Meliant an Mhisnigh atá orm ach Meliant an Mhí-ádha.

Shuigh sé síos go doilíosach ar a thóin ar an talamh chrua faoi bhun bile óig dhosaigh dhíoghainn agus lig a scíth agus a mheirtne de. Thug an crann taca do chnámh a dhroma agus ar an gcaoi sin thug sé tamall sosa dá cholainn ón iarracht.

Agus ar ndéanamh cónaí mar sin dó tamall d'airigh sé gluaiseacht ina phutóga agus dar leis bhí a chac aige. Agus níor ba mhian leis sin ach tháinig sé gan choinne air agus ní raibh aon neart aige air. B'éigean dó a thuineach a ardú agus a bhríste a ligean síos agus suí mar a raibh sé go raibh a mhún scaoilte agus a chac déanta. Iar sin do ghlan sé a thóin le tláimín caonaigh agus ro ghabh for ghubha agus tuirse arís ag éagaoineadh an ghnímh sin agus a easpa cumais ar a cholainn féin. Ro bhí i ndubhaí agus i ndomheanmna á aithisiú agus á imcháineadh féin go mór ar imnáire an éigin a ghabh é.

Le linn dó a bheith ag ceangal a bhríste air féin arís do chuala sé sioscadh sna dosaibh ina aice. Do gheit sé. D'fhéach suas. Is ansin a fuair sé an t-ionadh anaithne .i. carrfhia athlamh airdléimneach do ghabháil thairis go tobann tairpeach. Ba é seo, dar leis, comhartha a shábhála agus éarlais a threoraithe amach as an gcaschoill.

Rinne an carrfhia cónaí. Dath an bhánairgid ghil a bhí air agus bhí beanna órga air a bhí ag glioscarnach faoi sholas na gréine. Agus níor fhéad an fear aineoil labhairt ar iontas na soilse do chonaic. Chonaic an carr-fhia eisean. Bhreathnaigh. Chroith a bheanna maorga a bhí lasta ag na ruithní gréine agus d'imigh leis go tobann tréamanta i gceilteanas na dlúthchoille. Theith an fia leis as radharc níos doimhne isteach san fhoraois.

An fear aineoil iomorro do lean sé an t-ainmhí sár-mhaiseach somhianaithe mar ba deimhin leis anois gurb é seo an neach a thaispeánfadh a shlí dó. Do ghabh sé roimhe an chonair, dar leis, a ghabh an carrfhia roimhe.

Ro ghabh Sir Meliant .i. an fear aineoil, ag féachaint seacha i gceithre hairde na foraoise d'fhios an bhfeic-feadh sé an carrfhia glégheal. Ní cian go bhfaca sé arís é ina sheasamh roimhe ar an taobh thall de mhothar seandrise, é ag dealradh amhail grian ghlanruithneach agus a bheanna ag soilsiú na háite timpeall. Thug an fear aineoil taitneamh don ainmhí uasal.

D'imigh an carrfhia i gcéadóir agus d'éalaigh arís uaidh i bhfodhomhain na foraoise. Agus do bheir an

fear aineoil a ghuth os ard agus ro ghuigh airsean
fanacht siost mbeag go labhródh sé leis.

Mochean do theacht, ol sé, a ainmhí uasail.

Ach bhí an carrfhia uasal imithe leis. Níor fhreagair
an carrfhia mar nár chuala sé é. Níor fhan. Ba dhoiligh
leis an bhfear aineoil an ní sin agus chuaigh sé ag leanúint
an charrfhia agus níorbh fheas dó cáit a ndeachaigh.

Agus do bhí ar lorg an charrfhia fiarlaoid na foraoise
amhail is díochra a d'fhéad. Agus chonaic sé a rian ach
ní fhaca sé an carrfhia féin. Agus ó nach bhfaca ro ghabh
sé ag éisteacht for gach leath de d'fhios an gcluinfeadh
sé é ag lúth agus ag lusradh nó ag ingheilt agus ag iníor
i gcúil éigin den fhoraois.

Ach níor chuala sé aon ní ach siosarnach íseal na mionainmhithe sa duilliúr. Sileadh súl dar thug ar sheanchrompán crainn chonaic, dar leis, nathair nimhe chaol dubh ag lúbadh leis tríd an mbrosna. Ach níor dheimhin leis gur nathair a chonaic sé. D'éist sé arís ach níor chuala sé aon ní. Agus ó nár chuala is é ba dhóigh leis nach bhfaigheadh sé scéala an charrfhia trína bheatha. Agus do ghabh á iarraidh ar fud na coille agus ní bhfuair é agus ba mhór a chumha agus a shíreacht i ndiaidh an charrfhia.

XIV

Ní cian gur tháinig sé go cearn dlúth den fhoraois ar geall le ros lán líonmhar ar leith é i gceartlár na coille. Ar mbeith ag dul mar seo mar siúd dó ar lorg an charrfhia agus ag imeacht fiarlaoid na foraoise gan toradh gan tairbhe, d'éirigh sé anbhann. Shuigh sé síos ar chearchaill mhór ann agus bhí go tuirseach tréithlag, go deorach léanmhar, go huaigneach eaglach.

Thug sé sos dá chorp ón iarracht. Agus ní cian gur maolaíodh sceon a chléibh agus cloíteacht a chnámh, agus bíodh is gur mhair an imní i logall croí gan traochadh, d'airigh sé sa deireadh go raibh compánachas sna crainn agus cosaint sa choill; bhí damhna duineata i gceiliúr na héanlaithe nár mhíbhinn agus leigheas ar leonadh. Na crainn ar bac air iad ba chosaint archeana.

Má ba chuas cealg an choill aoibhinn, fós do thug an carrfhia misneach dó, fiú má bhí sé anois ar iarraidh.

D'éirigh sé agus chuaigh faoi scáth bile mhóir, sail mhaorga, banríon na coille, agus shuigh sé síos. Rinne sé cairn bheaga de na cipíní brosna in aice leis agus chuir trí chéile arís iad. Baineadh an mheá dá chroí. Bhí sé ar a shuaimhneas. Luigh sé siar ansin ar fhleasc a dhroma agus dhún a shúile. An fhoraois álainn aneachtair sheol soitheach seolórga na gréine leis go malltriallach siar ó phríomh go teirt agus ó theirt go seist.

Conas a tháinig faoin gcoill ar dtús níor léir dó ná ní raibh a fhios aige cén tsáimhríocht a tháinig air gur tharla ann dó i measc na gcrann doiléir is na gcosán diamhair. Ach bhí de mhéid a thuirse gur lig sé den imní a bhí air is den mheirtne cnámh. Chúlaigh sé sealad ón trangláil smaointe. Glac sé sos, mar is maith a bhí a fhios aige nach fada eile go mbeadh sé ag tabhairt ascnaimh for séad agus go mbeadh coiscéim bhraiteoireachta eile á tabhairt aige i gcríocha a thaistil sé roimhe, má thaistil, nó i gcríocha eile nár thaistil riamh. Ar an ábhar sin, luigh sé siar agus d'éist le siosarnach shiosmaideach na gcrann.

XV

Bhí rí uasal oirmhinneach ann tráth. Solamh an t-ainm a bhí air. An Solamh sin danó, is eisean b'iomláine eagna agus eolas dar gineadh ar shliocht Ádhaimh agus Éabha riamh roimhe, óir is ionann a d'fhoilsítí dó an ní a tháinig agus nach dtáinig fós agus ba réal dó gluaiseacht na réaltaí agus na n-ardreannach agus buanna agus bríonna na gcloch agus na luibheanna.

Bhí, trá, Solamh ag scrúdú a mheanman agus a intinne ar dhóigh go bhfoilsítí dó ó Dhia a raibh i ndán dó féin is dá shliocht. Chuaigh, trá, aingeal Dé os a chionn agus ro thairngir dó go nginfí ar a shliocht ridire cáidh canónta ba dhaingean creideamh agus b'iomlán ócht agus ba chalma i gcathaibh agus i gcomhlannaibh.

Mian an uile chine é an ridire seo, laoch a bhfuil an domhan uile ag fuireach leis, mar is é a thabharfaidh istigh is amuigh le chéile, agus is leis a chomhlíonfar an fháistine seo óir is dó a bheirfear tionscadal an scéil agus a fhorbairt iar dtain. Is é a cheanglóidh an uile ní le chéile.

Ba fáilí Solamh tríd an gcomharba uasal sin a ghiniúint ar a shliocht féin. Agus d'fhiafraigh a bhean de créad uime a raibh ar an smaoineamh fada ina raibh nó créad an scéala a bhí cloiste aige. D'inis, danó, Solamh don bhean an ní a taibhríodh dó, agus ba shníomh mór air gan a fhios ag an ridire réamhráite úd gur ar a shliocht féin .i. sliocht Sholaimh mhic Dáibhí mhic Iesse, a ghinfí é, mar bhí a fhios aige .i. ag Solamh mac Dáibhí mhic Iesse, go mba fada fada ina dhiaidh go dtiocfadh. Agus bhí ag smaoineamh cáit a bhfaigheadh comhartha marthanach éigin a mhairfeadh go teacht an ridire sin .i. i gcionn dhá mhíle bliain go tuilleadh. Agus do chomhairligh lena bhean an ní sin, mar b'aithnid dó domhaine agus géire intleachta na mban.

Déana mo chomhairlese, ar sí, agus rod fóire um an gcaoi sin a bhfuilir más féidir do neach eile.

Céard í an chomhairle sin? ar Solamh.

Ní hansa, ar sí. Glaoitear chugat an chuid is fearr uile de ghaibhnibh is de mháistribh an domhain agus déantar claíomh d'athar Dáibhí mac Iesse a mhaisiú dóigh go mairfidh leis an ré sin. Déan é sin, ol sí, in urchomhair an ridire sin .i. an laoch réamhráite. Agus

ó

tá fios

buanna na

gcloch agus an

luibhre agus na réad

incheilte archeana agat,

cuirtear dias leat ar an gclaíomh

de na clochaibh is uaisle agus is ísle

bua insa domhan, ar go dtagadh de na

buanna nach bhfágadh an claíomh a fhuíoll

buille agus nach gcloítí an té a d'iompródh

é i láithreachaibh catha nó comhlainn nó

coimhlinte; agus dornchla órga arna

eagar do gheamaibh gloiní

agus do

liagaibh

lómhara a

chur air fós.

Do rinne Solamh samhlaidh gach réad díobh sin amhail a d'fhuráil a bhean air. Agus cuireadh an claíomh ar chrann ábhal díoghainn san Fhoraois Dhíomhain ar crochadh as crios iontach arna dhéanamh de thrilse órga maighdine.

Tá sé ann le hilbhliantaibh agus beidh go bruinne brátha go dtiocfaidh an ridire naofa neamhéillithe ar a amas mar is ina urchomhair sin atá sé ann, an duine a thiocfaidh chun an scéal a chríochnú, an té a bhfuiltear ag fuireach leis le ré chian, agus an neach a tuismíodh ó ardsliocht uasal Dháibhí rí agus ar leis a chríochnófar iontais na talún seo agus críoch eile i gcoitinne fós. Agus sin í stair Chlaíomh an Iompair Iontaigh go nuige seo.

XVI

Dála iomorro Sir Meliant, dar leis gur mithid dó foghlaim. D'oscail sé a shúile agus d'fhéach sé ina thimpeall. D'fhéach sé ar na crainn ina gceann is ina gceann. D'éirigh. Thionscain ar fhoghlaim.

Ceist. Céard is coill ann?

Ní hansa. Beith luis nion.

Ceist. Céard de an bheith luis nion?

Ní hansa. Conair ghutha, comaoin chara, lí súl, lúth lobhair, tosach gairme, bá maise, agus smior guail.

Ceist. An é sin m'ainmse?

Ní hansa. Is é.

Ceist. Céard é tús labhra gach beo agus iachtadh gach mairbh?

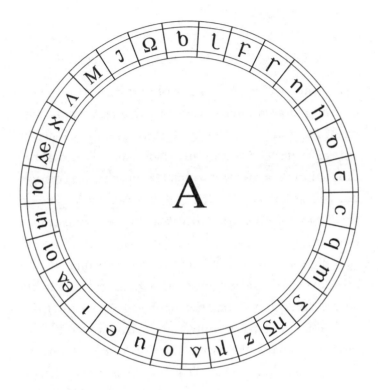

Ní ansa: A.

Ceist. Agus ab in a bhfuil d'fhoghlaim ann?

Ní hea. Dlighidh eol ar an gcuid eile ar fad ar den bheith luis nion .i. an uile bhile, ifín, lus agus lusán dá bhfuil ann, bog agus crua, ard agus íseal, dubh agus bán, fliuch agus tirim, te agus fuar, réidh agus aimhréidh, sa ló agus san oíche, samhradh agus geimhreadh, dlúth agus andlúth, teann agus scaoilte, mór agus beag, maith agus olc, fear agus bean, deas agus clé, ann agus as, istigh is amuigh.

XVII

CLAÍOMH AN IOMPAIR IONTAIGH

Dála iomorro Sir Meliant, ar bhfoghlaim na nithe sin dó, thug sé ascnamh for séad agus do ghabh ag imeacht na slí ina aonar gur tharla i bhforaois uaigneach é in am seiste de ló. Ní cian gur tharla seanchrann ábhal díoghainn dó agus crios iontach ar crochadh as craobh de. Bhí an crios arna dhéanamh d'órshnáth agus de thrilse maighdine agus níor feas dó cé díobh sin an t-órshnáth mar b'ionann a ndath. Agus as an gcrios álainn glé-órga ar crochadh bhí claíomh séanta sainiúil go ndornchla órga, go gcrosa agus go ndioscaí datháille dearga agus go n-iomad geamanna agus carrmhogal.

Bhí an claíomh ag lonrú faoi scáth na craoibhe ag déanamh solais den dorchadas agus gile den duifean duairc. Agus bhí scriopta de litreacha órga ar an truaill a bhí uime: nach raibh sa domhan lámh dá láidre ná curadh dá chalmacht a ghlacfadh an claíomh nach bhfaigheadh bás nó biothainimh uaidh nó go dtiocfadh an ridire canónta dá raibh i ndán agus i ndúchann a ghlacadh iar n-ilbhliantaibh.

Bhí, trá, fuath dhá phiast i ndornchla an chlaímh .i. fuath nathrach nimhe den ainm Papalustes. A bhua sin: ní ghabhann teaspach iomarcach i gcath nó i gcomhlann an té ag a mbeadh. Fuath éisc, trá, an tánaiste, agus is as a dtagann sin as an sruth le ndeirtear Eafraen. Agus is iad a bhuanna sin: ní bhíonn buairt ná seachrán comhairle ar an té lena n-iompraítear.

Agus do smaointigh Meliant ina intinn gurb é seo Claíomh an Iompair Iontaigh agus gur mithid dó é a thógáil nó ba leis a chloífeadh sé an nathair nimhe agus míolacháin an amhrais agus dragain bheaga na héiginn-teachta agus an iliomad eathaidí éigeansa archeana.

Ach at-chím-se, ol sé leis féin, go bhfuil sé scríofa ina chopail go mba aimhleas do neach a thadhall ach don aonridire ba chróga agus ba fhírinní agus b'fhearr creideamh sa chruinne go comhlán. Is air sin imeaglaim de, ol sé.

Agus do chuala glór os a chionn ag labhairt leis ón gcraobh anuas, glór ainglí maighdine agus is é asbeirt:

Ná bíodh uamhan ná imeagla ort, ol an glór, óir murar críochnaíodh geasa an chlaímh roimh an uair seo tá siad ligthe i ndearmad ag daoine le fada fada an lá.

Agus do ghlac sé an claíomh agus do chuir a lámh ina dhornchla agus d'fhóin dó, amhail ba dó féin a ordaíodh a dhéanamh amhlaidh agus gur lámh seanchara leis a bhí i ndornchla an chlaímh.

Agus labhair an mhaighdean arís agus is é asbeirt:

Ví mar sin, tá mar seo, agus beidh mar a bheidh, ar sí. An dá phiast i ndornchla an chlaímh is éard a thuigtear astu sin go bhfuil an gníomh agus an focal dlúthfhite ina chéile agus an fhoghlaim agus an faitíos archeana, dóigh gur féidir an claíomh seo a dhíriú ar nithe nach bhfuil ann. Claíomh dhá fhaobhair é. Tig leis a naimhde féin a chruthú as an aer.

D'fháisc Sir Meliant a mhéara ar dhornchla an chlaímh mar a d'fháisc Earcail a dhorn ar scrogall na nathrach.

Feicfear anois, ol an mhaighdean os a chionn, an chinniúint ghlórmhar atá ceaptha ag Dia duit agus atá tairngirthe agus réamhráite agus feicthe anois ag an gcúirt ar fad agus ag ridirí uile an Bhoird Chruinn.

Ansin d'imigh an mhaighdean nach bhfaca sé. Lig Sir Meliant a ghlúin faoi agus thug teora pax do dhornchla an chlaímh.

Is leis seo a ghearrfad slí tríd an gcoill, ol sé leis féin. Is leis a dhéanfaidh mé mo bhealach amach as an gcaschoill.

Sheas sé ansin agus tharraing sé an claíomh as a inteach agus ghearr an t-aer timpeall. Iar sin theasc sé seacht gcinn d'fhialusa d'aon bhuille amháin agus dar leis nach raibh a chomh-mhór de neart i bpearsa aon ridire sa domhan.

Leis an gclaíomh seo, ol sé, a dhealóidh mé an lusra óna chéile, an fíor ón neamhfhíor, na constaicí glana ó na constaicí neamhghlana, an ní ón neamhní; agus is leis a dhéanfaidh mé slí tríd an dlúthmhothar agus le móimint seo an mhiotail maróidh mé an ollphéist san uachais agus an nathair nimhe sa ghrágán crainn agus cruthóidh mé scéal agus déanfaidh mé réiteach.

Do bheartaigh sé Claíomh an Iompair Iontaigh agus is é asbeirt, archeana, de ghlór ard:

An choillearnach, ol sé, an choill.

An choill, ol sé, faoi mar is téachta a thaifeach.

Taifeach is teibiú na ndúl, ol sé, le lann ghéar na loighice, ol sé, le claíomh geal na bhfocal, an teanga uasal fhaobhraithe.

Ionann saol agus coill. Ionann coill agus crainn, ol sé. Seo í an aibítir.

Seo í an aibítir, ol sé, agus seo mise inti.

Agus thóg sé an claíomh arís agus le dias ghéar a lainne scríob a ainm ar choirt chrainn. San ogham is ea a scríob sé é. Ar dhroim an chrainn mar seo is ea a scríob sé é: ceithre fhleasc bheaga sa lár, dhá fhleasc go cothrom ar dheis, cúig fhleasc bheaga sa lár, agus fleasc amháin aonair ar dheis.

Agus bhreathnaigh sé ar obair a láimhe agus ar rianadh an chlaímh agus bhí sé sásta. Ba thús é. Iomhthús.

Ansin ro ghabh ag imscrúdú na lus faoina chosa agus á dteascadh le lann a intinne:

> athair talún, dearna Mhuire,
> odhrach bhallach, an neantóg nimhe,
> agus an greabhán beag bánlítheach
> a thug a ainm don áit.

Agus mheáigh sé an obair uile a bhí déanta aige agus

bhí sé go maith dar leis. Cheangail sé an claíomh air
féin, scaip na seanduilleoga go meidhreach roimhe lena
throithe agus thug ascnamh for séad.

XVIII

SCÉALTA EACHTRAÍOCHTA

Insítear scéal eachtraíochta sonn. Laoch a bhí ann fadó,
Earcail an t-ainm a bhí air. Ba é a chloígh an nathair
nimhe .i. an nathair dhubh a bhí i bhfolach i neamhní
infinideach an chuais crainn. Ní hea, ach is é Fortabras
a bhí air agus is é a chloígh le neart a ghéag agus le
misneach a lámh agus le hollmhéid uafar a cholainne, an
t-anchruth ainmhí a chónaigh in aibhéis na holloíche
gan teorainn. Ní hea, archeana, is é Galafas a bhí air. Ní
hea, ní haon duine acu sin é ach é féin, mise, Sir Meliant,
a chloígh an nathair le claíomh na loighice agus a
dhíbir an ollphéist ainbhiosach go críocha imchiana an
oighir agus an tsneachta shíoraí. Sir Meliant, archeana,
a chonaic an féileacán aoibhinn; Sir Meliant .i. mise, a
chuala cantaireacht an éinín airgid. Is é a chonaic agus
a lean an luathchosach uasal án, an carrfhia órga cróga
cumhachtach crithirbheannach. Is é Sir Meliant an
laoch a bhfuil na ciníocha ag furnaí fris .i. ag feitheamh
leis le hilbhliantaibh.

Thug Sir Meliant ascnamh for séad ag lorg péiste

nó miondragain a d'fhéadfadh sé a chloí nó caisleán a d'fhéadfadh sé a ionsaí nó maighdean a d'fhéadfadh sé a fhuascailt.

CAISTÉAL NA MAIGHDEAN

Imthúsa Sir Galafas .i. Sir Meliant .i mise ad-fiadar sonn. Ba í oíche na Cincíse a bhí ann. Agus ro bhí Sir Galafas .i. Sir Meliant go fada ag imeacht an díthreabha gan aon neach ná aon ní tarlú dó. Baintear ceann eile den scéal mar seo.

Dála an ridire fáin .i. Sir Meliant, do bhí seisean ag imeacht roimhe trí lá agus teora oíche gan aon ionadh nua d'fháil. Sa cheathrú lá iomorro tharla é i gcoill uaigneach. Ro thuirling dá each, ro fhág ar imeall na coille é, agus ro ghabh ag imeacht na slí ina aonar.

Lean sé air, idir solas is dorchadas, faoi dheis agus faoi chlé, thar áiteanna tirime agus áiteanna fliucha, thar áiteanna boga agus áiteanna crua, ag meá a chois-céimeanna go tomhaiste agus ag cruthú slí dó féin tríd an gcoill lena chlaíomh géar gealaigeanta, ag imeacht leis thar an lile bhán is an rós dearg, ar chosáin réidhe agus ar chosáin bhactha, trí gach codarnsa a leag an choill roimhe, idir áilleacht agus aimhréidh, anacair agus éascaíocht, i bhfad ó aon bhóthar díreach, ag leanúint dá lúbanna is dá leideanna archeana.

Ar mbeith scítheach dó shuigh sé síos agus ghlac a

shuaimhneas. Ní cian gur chuala an guth ag labhairt leis ón gcraobh anuas agus is é asbeirt:

Éirigh, a Sir Galafas, ol sé, go Caistéal na Maighdean agus díchuir an lucht eascainithe atá ann ag adhmhilleadh na tíre le ré chian.

Ó do chuala Sir Meliant sin ro ascain roimhe for séad go dtarla gleann diamhair dó. Bhí caistéal daingean díthoghla sa ghleann agus sruth anfach thar an gcaistéal dar comhainm Sabern .i. sruth Briostamha.

Agus ro dhírigh Meliant gus an gcaistéal go dtarla seanóir aosta dó agus d'fhiafraigh Meliant scéala de .i. cén caistéal a chonaic.

Caistéal na Maighdean sin, ol an seanóir, agus is dí-ríofa a ndéantar de mhíghníomhartha ann, idir bhroid agus ghoid agus dúnorgain, óir ní leomhann neach a thadhall gan duais éigin dá thárrachtain.

Dá fhios dúinn, ar Sir Meliant.

Do ghluais sé roimhe gus an gcaistéal gur tharla mór-sheisear maighdean dó go n-éadaí sainiúla ar eachaibh airdéirimeacha. Agus thoirmisc siad uime dul seacha agus ní dhearna sé ní orthu ach ghluais gus an gcaistéal.

Tan bhí ann go bhfaca .vii. ridire ina dhochum agus iad armtha lánéidithe ar a ngabhra éasca agus d'ionsaíodar Sir Meliant gach ndíreach in éineacht. D'éirigh bruth agus borradh Sir Meliant á bhfeiceáil, go raibh a éan gaile ar foluain os a inní agus os a anáil. Dhing gach ndíreach ina n-aghaidh sin agus do thug fogha de gha sa neach ba neasa díobh gur thit sé seo dochum talún, agus is suaill nár bhris a mhuineál den tuinseamh sin.

Shádar an seisear eile a sleánna in éineacht i Sir Meliant agus ro ghabh seisean na sleánna sa sciath agus níor urchóidíodar dó. Agus ro ghoineadar a each gur suaill nár ba mharbh. D'fhreastail Meliant iad iar sin gur leag triar díobh de theora tuinseamh den tsleá sheimneach shífhada agus thóg a chlaíomh as a inteach agus ro thuairg gan doicheall iad agus rinne siadsan an céanna leis-sean amhail is díochra a d'fhéad.

Imthúsa Sir Meliant níor fhulaing d'uatha ná de shochaí cothromú leis. D'éirigh a bhruth agus a bhorradh iomarcach san onchú uasal gur ghabh ag foirbeadh cách gan ana gan oiriseamh. Níor fhan díobh gur fhoirtiligh sé orthu sa dóigh nach raibh neart mná in inmhe seoil in aon díobh. (Agus d'fhorbair ar ghníomhartha Sir Meliant leis an ré sin, óir is é a deir an stair nár éineartaigh an té Sir Meliant le dua ná dochar ná imní ná anfhorlann go foirceann a bheatha.)

Dála an tseisir iomorro níor fhéad siad cothromú dó go ndeachadar ina maidhm róreatha ar cúla arís gus an bhfiodh ba chomhfhochraibh dóibh. Agus níor lean Sir Meliant iad seacha sin, ach chuaigh roimhe gus an gcaistéal.

Chonaic sé seanóir aosta ulchach liath ag teacht ina dhochum. Labhair sé seo le Sir Meliant agus is é asbeirt:

Mochean romhat, ol sé. Uair is duit ro dheonaigh Dia

ár bhfortacht agus ár gcomhdhíonadh as an nguasacht ina rabhamar agus is faoi do mhámas dlímid a bheith uaidh seo amach agus gheobhaidh tú eochracha an chaistéil faoi do chumas feasta.

Ro ghabh Sir Meliant na heochracha agus do chuaigh sa chaistéal agus is díríofa a bhfuair sé de mhaighdeanaibh ann i mbroid agus i ngéillsine roimhe.

Iomthúsa na maighdean, d'éiríodar in éineacht in aghaidh Sir Meliant agus rinneadar altú buí do Dhia um a dtárrachtain agus um a dtuaslagadh as an daoire ina rabhadar le cian roimhe sin.

As a haithle sin d'fhóbair Sir Meliant ascnamh for séad ach labhair maighdean díobh agus is é asbeirt:

Fan linn tamall, ol sí.

Ach níor ghabh Sir Meliant a thoirmeasc ó na maighdeanaibh.

Trua sin, ol siad, óir dá bhfágtá sinne sa chaistéal seo tiocfaidh an lucht céanna arís inár ndochum-na agus beimid mar a chleachtamar gus inniu.

Céard is áil libhse? ol Sir Meliant.

Agus do labhair duine de na maighdeanaibh, iníon an Diúic Leanóir ba thiarna sa tír roimhe sin gur tharla easaonta idir an diúc agus an mórsheisear ridirí, agus is é asbeirt:

Is áil dúinn, ol sí, áitreabhaigh na tíre a chur chugatsa agus go gceanglófá orthu gan an modh céanna a ligean sa chaistéal arís.

D'fhaomh Sir Meliant di sin.

Is ansin a chuir maighdean díobh beann bláthchaoin buabhaill de chnámh mór arna cumhdach de dheargór i lámh Sir Meliant agus do sheinn Sir Meliant í gur fhreagraíodar oireacht na tíre as gach cearn chuige.

Agus chuir Sir Meliant iníon chaomhchruthach an Diúic Leanóir i gceannas agus i dtosaíocht na tíre agus ro smacht ar an bpobal go mbeidís umhal di uaidh sin amach.

D'fhan Sir Meliant an oíche sin agus do rinneadar

onóir agus oirmhidin dó amhail is díochra d'fhéadadar.
Maidin arna mhárach iomorro tháinig an scéala chuig
Sir Meliant ó ridirí an Bhoird Chruinn go raibh caistéal
eile i nguasacht agus i ndaorbhroid agus maighdean
eile ab éigean dó a fhuascailt agus a shaoradh. Agus ó
do chuala sé sin ro cheiliúir do lucht an chaistéil .i.
Caistéal na Maighdean agus ro imigh for séad.

CAISTÉAL COIRBINIC

Iomthúsa Sir Lamsalait .i. Sir Meliant ad-fiadar sonn.
Iar bhfurtacht na maighdean dó as an nguasacht ina
rabhadar agus iar gcomhrac an mhórsheisir ridirí
róchlama a dúramar, agus iar marú na nathrach, bhí sé lá
n-aon ag siúl na Foraoise Díomhaoine go bhfaca críoch
álainn anaithnid uaidh agus foraois fhothrúil fhosaidh
de thaobh di. Chonaic sé araile caistéal clochdhaingean
ar a cheann amach agus a dhoras uaibhéalta agus dhá leon
leadarthacha lomfhiaclacha á imchoimeád dianeachtair.
Agus ro bhí Lamsalait .i. Sir Meliant ag féachaint an
chaistéil ar gach leath gur labhair an t-aingeal uasa agus
asbeirt leis dul d'ionsaí an chaistéil agus a thuaslagadh.

Leag Meliant lámh thapa laoich ar a éide agus ar a
armaibh agus d'ionsaigh an caistéal gach ndíreach. Ach
ní dhearna na leoin mhóra aon urchóid dó agus ghabh
sé tharastu isteach sa chaistéal. Agus do fuair an halla
ríoga rómhaiseach gan aon neach ann. Agus do bhí sé

oíche fhada ag cuartú an chaistéil go bhfaca araile doras dúnta agus do chuala sé guth álainn ainglí agus ceol séaghainn sochroíoch. Ar gcluinsean an cheoil sin do Mheliant ro lig a ghlúine fri lár.

Ro thóg, trá, Sir Meliant a ghnúis iar sin agus do chonaic an doras oscailte os a chomhair agus do ruithnigh soilse dearmháile as, amhail a bheadh tapracha agus ríchoinnle an domhain ar fursannú ann, nó amhail ba í an ghrian ghlanruithneach a bheadh ina chiorcal cónaí ann. Agus ro bhreathnaigh sé aige féin dul dá fhios cad as a dtáinig an dealradh dí-fhaisnéise sin go ndúirt an t-aingeal leis as láimh nár ba dír dó tadhall an ionaid naoimh sin.

Ba scítheach Sir Meliant de sin óir ba ghalar mór leis méid na dúile do ghabh é um dul isteach agus nár ligeadh dó. Agus d'imigh sé as an gcaistéal go dubhach dobhrónach agus ní áirítear a iomthúsa go léig.

XIX

Ní áirítear a iomthúsa go léig. Tá Sir Meliant, a bhí ag ligean air féin go nuige seo gurb é Sir Galafas é agus tráth Sir Lamsaloit, tá sé fós san fhoraois dhíomhaoin agus gan aon dul as aige, ná níl aon ghaisce déanta aige ná aon scéal le ríomh aige ach scéalta leamha a chum sé féin gan tús leo ná deireadh, tóin ná ceann. Ba é Meliant an Mhí-Ádha é go dearfa, mac na teipe agus na tuaiplise, dearbh-bhráthair an mhíchumais. Agus tháinig díomá air faoina easpa urmhaise agus tuisceana.

Déach seachat, ol sé leis féin. D'fhios créad a chífidh tú.

Dhéach Sir Meliant seacha agus at-chonaic crainn agus coillearnach mar a bhí roimhe agus dlús fáis agus driseacha iomramhra mar a bhí agus bacanna bealaigh. Bhí sé sa chaoi chéanna i gcónaí gan aon chaisleán gafa aige, gan aon mhaighdean fuascailte, gan aon dragan cloíte. Agus ba mhór a ghoin a aonaracht agus a uaigneas air. Agus, ó nach raibh aon ní eile le déanamh aige, thug sé ascnamh for séad.

XX

Dála iomorro Sir Meliant ro-ghabh seisean ag imeacht na slí ina uathadh agus ina aonar gur tharla é i gcoillearnach scrobarnaí in am seiste de ló. Agus tharla cros dó idir dhá chonair agus líne de litreacha scríofa sa chrois. Agus is é a léigh sé inti cibé a ghabhadh an chonair a bhí de leath chlé na croise, go mba imeagal dó gan teacht ar ais murar chomhlán é in íonacht agus in ionracas agus i ngail agus i ngaisce. Agus dar leis go ngabhadh sa chonair sin a bhí den leath chlé dóigh go ndearbhódh sé a chroí agus a ghaisce agus go dtórmódh sé a alladh agus a oirirceas ina chéadghnúis.

Ro ghabh sé ag imeacht na slí sin den leath chlé agus

ní cian go dtarla i meán conaire dó tor aitinn. Do bhí an tom cumhdaithe de bhláthanna iontacha órbhuí mar chailigh bheaga i gcrobhaingí dlútha agus dea-bholadh cumhra orthu agus spíonta iomadúla aigeadúla arna n-ileagar fúthu. Sir Meliant iomorro níor ba deimhin leis nach bhfaca an tor cheana nó a aithghin.

Agus chomhfhogasaigh sé don tor bláfar ba chaoimhe de lusra na coille agus de chrannaibh na beatha agus rinne iontas dá fheistiú sainiúil airgid go mbreachtaibh óir ag fursannú ina thimpeall gur fhorghabh urlár na coille ar gach leath de agus go raibh an talamh faoi ina sheithe bhuí breactha.

Agus tharla dó i láthair an iontais .i. an t-aiteann, dar leis nár chuí dó gan labhairt leis agus a ainm féin a insint dó agus riar dá eachtraí agus dá imeachtaí a ríomh agus cuid dá chraobha ginealais agus beagán d'iontais Chlaíomh an Iompair Iontaigh agus Truaill na Scríbhinne Diamhaire agus eachtra Chaistéal na Maighdean agus imeachtaí an Bhoird Chruinn agus fios bunaidh scéal an dragain, a léim agus a lusradh, agus ceol an éinín airgid, agus imeacht an charrfhia agus an chaoi a raibh sé seachnóin ríochta Lógrais le cúig bliana ag cuartú diamhra agus droibhéal agus fiobhaí agus fásach agus nár fhág ionadh anaithne gan fiosrú ná ceist ná caingean gan fuascailt leis an ré sin. Ach níor labhair sé. Níor aithris aon chuid den scéal sin mar an rud nach féidir labhairt faoi is éigean tost mar gheall air.

Agus ní cian a bhí Sir Meliant ag breathnú an toir an tan tháinig saighneán dealramhach .i. lasair thine, amhail grian ghlanruithneach nó solas diamhair dearmháil, amach as lár na craoibhe. Agus ba lasta an áit uile leis na ruithní grianda agus bhí an tor amhail ba choinnealra gach craobh de agus .vii. ríchoinneal rómhóra ar comhlasadh ins gach coinealra gur shoilsigh siad gach aird agus gach ábhach den choill scrobarnaí in imchuairt.

Agus d'fhan Sir Meliant san áit sin amhail a bheadh taobh istigh d'fhál grianda, .i. gairdín múrtha .i. oiribhear álainn earraigh a bhí síochánta ciúin grástúil breac le bláthanna go n-iomad scoth agus le hilchranna agus le hiliomad de gach sórt archeana. Bhí an tor ag glioscarnach agus ag drithliú agus bhí an chraobh trí lasadh ó thine agus níor loisceadh an chraobh. Agus níor urmhais umhaile ná oirmhidin a thabhairt dó le hiomad a scátha agus a mhíthuisceana. Ná níor fhéad labhairt os ard ar iontas na soilse a chonaic agus ar an áilleacht ina thimpeall. D'fhan sé ina thost. Níor labhair. Níor labhair an tom.

Fillfidh mé anois i leataobh, ol sé leis féin, agus féachfaidh mé ar an radharc mór seo, cén fáth nach loisctear an chraobh.

Agus d'fhan i leathaobh ach fós thuig, archeana, gur dócha gur d'fholaibh uaisle é féin nó gur de fhréamh rí nó de chineál cumhachtach éigin dó agus

tháinig luisne ina ghrua ón luis agus loisc a chroí amhail dá mba fionnán airdsléibhe i meán Márta a bheadh ann. Agus chuir lámh i ndorchla a chlaímh agus chinn comhairle labhairt agus is é asbeirt:

Mochean romhat a theine bhuí, a oinn órga, a mhuine ionmhain mhíorúile, ol sé, a nion niamh, a iodh amhra, a luis lómhair. Scéal libh dúinn.

D'fhan an tor ina thost.

Labhair Sir Meliant arís agus is é asbeirt:

Atáim anseo, ol sé.

D'fhan an tor ina thost. Labhair Meliant arís agus is é asbeirt:

Mise Sir Meliant, ol sé, mac mí-ádhmharach na foraoise, dalta an doilbhris agus dlúth-chomhalta mac an doilbhris. Mise Sir Mise, bráthair beatha, tús meala, lúth lobhair, conair ghutha. Do bhíos-sa ámh, ol sé, le cúig bliana gan chodladh i leaba agus gan bia a thomhailt i measc daoine, ach a bheith i meán m'éadaí i bhforaoisibh fásaigh agus meacain agus luibhre na talún á dtomhailt agam agus fuaráin ghlana ghormghlasa mar dheoch agam ina ndiaidh. Agus is mór d'iontaibh anaithne a taispeánadh dom san aimsir sin agus is mór an phian agus an fhulaingt do chonaic feadh an achair.

Níor bhog an tom, níor bheannaigh dó, níor fhreagair, ach d'fhan faoi bhláth.

Labhair Sir Meliant arís agus is é asbeirt:

Sibhse danó, ol sé, an ro tarfas daoibh an ní atá sibh ag iarraidh?

Níor fhreagair an tom ach luisne órgachta a theacht ar a bhláth agus loinnir a theacht ar chruas airgid na ndealg.

As a haithle ghabh saint agus áilíos na mbláth órga a bhí ar an tor Sir Meliant agus bheartaigh sé dul i gcomhfhogas don teinne arís agus leag sé lámh uirthi .i. ar na bláthanna buí agus ar an duilliúr geal agus chuaigh an spíon géar isteach ina láimh agus goineadh é amhail de chealg feithide nó d'fhiacail ghadhair nó de theanga ghabhlánach nathrach nimhe. San am céanna ligeadh gaoth teaspaigh faoi éadan dó agus dar leis nach bhfágfadh nach n-alt nó nach n-áighe dó gan loscadh. Tháinig luisne bhruithneach bharrloiscneach ina aghaidh agus ba frithir a lámh den ghoin agus b'fhearr leis go mba bás a gheobhadh le hiomarca na haiféala do ghabh é.

Agus ó nach ndúirt an tom aon ní agus ó bhí a lámh gonta shiúil Sir Meliant ar aghaidh a bhealach féin agus scar leis an tor agus é ag ochadh agus faoi mheirtne mhór. Mar bhí meirtne chroí air um thost an aitinn a raibh boladh cumhra air agus ileagar spíonta airgid faoina bhláthanna órga, agus ba mhóide a mheirtne an scéal a d'inis sé, is é sin an scéal nár inis sé, mar gur fhan sé ina thost mar gheall air.

XXI

Iomthúsa an ridire fáin .i. Sir Meliant ro ghabh díomá é faoina easpa urmhaise agus faoina easpa eolais agus mar go raibh sé tuaipliseach teipeanach míthuisceanach. Meliant an mhí-ádha, an fear aineoil, an ridire soineanta amadánta, an fear gan iúl gan aithne. Agus ro ghabh sé á cheistiú féin agus á imcheistiú.

Ceist. Céard is duine maith ann nó an ridire a ghairtear de gach duine.

Ní hansa. Tá sé scríofa sa leabhar breac dá mhéid an onóir ina mbíonn neach is ea is mó an ghuasacht; ar an ábhar sin is cóir dó imeagla agus faitíos agus imchoimeád. Óir an crann is airde san fhíobha is é is gnáthaí a thiteann trí fhuasnadh agus anfa gaoithe. An túr dín is airde i múr na cathrach is é is minice do thurbhródh agus titeann. Na sléibhte is airde ann, is iad sin is guasachtaí loisctear ó shaighneáin. Is amhlaidh sin is mór an ghuasacht don fhoireann a bhíonn in uaisle an fhlaitheasa.

Rinne sé iarracht gach ní díobh sin a mheá ach chuaigh de. Chuaigh de ciall a bhaint astu. D'aithin sé é féin mar fhear aineoil. Ní raibh a fhios aige tada. Ní raibh ann ach amadán.

XXII

Faoi mheirtne chroí do ghluais sé roimhe, trí shlite garbha coilltiúla na foraoise crua fásúla rófhada. Agus do bhí ag imeacht cor an chaomhlae choíche gan iúl gan urmhaise slí gur ghabh an fhoraois i ndorchacht agus i ndiamhaire air. Ní cian gur réal dó doilbhe agus doichealta na háite aduaine a raibh sé gafa ann agus tháinig imní air nach raibh aon éalú i ndán dó, trína bheatha, as iargúltacht fhiain na foraoise.

Ghluais sé roimhe agus dá mhéid a chuaigh sé ar aghaidh is ea is mó a chuaigh sé isteach i ndorchachtaí móra. Lean sé air i gcoimheascar na gcrann, san fhoraois mhór dhorcha agus ní cian gur aithin sé go raibh sé ar mearú mór agus ar seachrán slí sa chaoi nach raibh a fhios aige cén áit a rachadh sé nó cá dtabharfadh an chéad choiscéim eile é nó cá leagfadh sé a throigh.

Shiúil sé leis ag scaipeadh na seanduilleog roimhe go támhach faicheallach agus ag slisneadh speathán go sliastach lena chlaíomh agus é faoi chaí agus faoi imní mhór. Lean sé air ag siúl cosán agus fhrithchosán ag iarraidh bacanna agus frithbhacanna a shárú. Theilg sé ina mheanma filleadh ar an áit a raibh sé roimhe sin, áit nach mbeadh chomh dorcha ná chomh doilbh ná chomh doicheallach. Theilg sé ina mheanma gubh fhearr leis áit na scrobarnaí a thárrachtain arís le solas an lae.

Thairisnigh sé ina chiall agus ina chlaíomh agus chuaigh sé i bhfrithing na conaire a dtáinig. Ach níor éirigh leis an áit a thárrachtain agus bhí ag méadú ar an eagla ina chroí agus ar an mbrón agus ar an díomua agus ar an smaoineamh go raibh sé fágtha ina uathadh agus ina aonar agus go raibh gach comhluadar imithe agus nach raibh aon neach beo ina fhreacnarcas.

Shíl sé dá rachadh sé díreach roimhe ag gearradh slí dó féin tríd an gcoillearnach leis an gclaíomh go gcaithfeadh sé imeall na coille a thárrachtain sa deireadh thiar thall. Chuir sé lámhthapa laoich i ndornchla a chlaímh arís agus leag sé air de bheachtbhéimeanna cruinnteascacha. Lean sé air amhail is díochra a d'fhéad. Ní cian go raibh sé ar ais san áit inar thosaigh sé tamall gairid roimhe, má bhí. Tháinig eagla níos mó air. Bhí sé iata isteach amhail i gcarcair ag fraitheacha dlúth-dhuilliúir crann. Bhí driseacha tiubha timpeall ar gach taobh de amhail fál eachlasc. Bhí doirse uile na foraoise iata ina choinne. Ní cian gur thuig, de bharr thiús na ndriseacha agus cadrántacht na coille i gcoitinne agus laige an chlaímh, archeana, nach n-éireodh leis aon bhealach díreach a ghearradh tríd an gcoill.

Thug sé ascnamh for séad sa treo eile. Ní cian go bhfaca sé conair ag lúbadh roimhe tríd an gcaschoill. Lean sé an cosán lúbach ach ní cian go raibh deireadh leis an gconair sin agus b'éigean dó filleadh i bhfrithing na conaire a dtáinig. Bhí sé ar ais san áit a ndeachaigh sé ann iliomad uaireanta roimhe sin, nó a macasamhail, má chuaigh riamh, agus tháinig míobhán mearbhaill air. Agus ba cheist leis cár ghabh a each má bhí each aige. Níor chuimhin leis each a bheith aige. Murar fhág sé ar forgheilt é i gcúil eile den fhoraois in áit nach raibh aon teacht aige anois air. Agus ba cheist é an raibh aon chonairí frithinge san fhoraois dhíomhaoin dhíchealta dhíchéille nó an conairí ar aghaidh iad uile is nach raibh aon dul siar. Bíodh each aige nó ná bíodh, bíodh díchiall ann nó ná bíodh, thuig sé go gcaithfeadh sé gach iarracht a dhéanamh teacht as.

XXIII

Níor thairisnigh ina chlaíomh níos mó. Idir dhaingne na mbacainní móra agus doichte na lomán ar éigean má bhí ar a chumas an claíomh a bheartú. Bhí mearbhall ar a intinn, bhí a chuisle ag preabadh, agus ní raibh ar a

chumas a aithint cén chonair ba cheart a thógáil, má
bhí conair ann, nó an é a bhí i ndán dó fanacht sa choill
seo trína bheatha :

an
fhoraois
ilchraobhach
ilchiallach iolartha,
an fhoraois dhíomhaoin
dhuaiseach dhochuimsithe
dhaingean dhamhnúil dhorcha
geall leis do-imeachta, áit
aingheal anacrach, láthair
leonta agus lagachair
nárbh eol a tús
ná a deir-
eadh

agus ba mhachnamh mór leis conas do ráinig ann, cé
acu ar dá dheoin féin é nó de bharr doilfeachta
dubhealaíne draíochta éigin. Áit éigin i bhfad i gcéin
bhí an garraí grianmhar lán aoibhnis ach ní raibh aon
teacht ag an ridire fáin air sin, an taobh dorcha seo den
ghruamacht agus den éadóchas.

   Thuisligh a throithe tríd an duillliúr dubh go mall
stadach san áit ar fhéad siad. Bhí sé i gcearn eile den
fhoraois nár aithin sé. Tháinig scaoll air. Ghabh faitíos é
roimh a bhfaca sé de scáthanna dorcha is d'éagruthanna

doilbhe. Ach ba léire fós dó na nithe nach bhfaca sé
agus ba mhó a scranraigh sé rompu: an dragan beag in
uachais talún, an mac tíre i gcarn duilleog, an liopard
ar ghéag ard agus, thar aon mhíol eile, an nathair nimhe
i seanghrágán crainn. Bhí siad ina aice agus ghoin sé
a chroí go raibh sé i láthair dhia na coille .i. Pan
grodmhúscailte .i. Παν Λυτηριος, agus ghabh uamhan
agus imeagla mhór é. Níorbh fhéidir leis comhairle a
chinneadh céard a dhéanfadh sé.

XXIV

D'éirigh sé níos laige le méid a fhaitís agus thosaigh ag
crith agus ba mhóide a scaoll agus a uamhan an tuiscint
go mb'fhéidir go raibh ainmhí allta éigin ag síorimeacht
sa choill fá gcuairt ag féachaint lena shlogadh. Agus
ghabh uamhan é roimh míola agus eathaidí éigeansa
éigiallda uile na foraoise agus roimh gach ainmhí arbh
í an choill seo a ghnáthóg agus a ghnáthlonnú, idir an
sionnach agus an mhuc allta agus an faolchú, an leon
agus an liopard agus an mathúin archeana agus an damh
agus an t-iolar agus an t-ulchabhán .i. na hainmhithe
brúidiúla a itheas agus a ibheas agus a chodlaíos agus a
chomhriachtas i bprochógaí ciardhorcha na coille.
Agus dá bhféadfaidís uile labhairt ní thuigimis iad.

Agus ro imeaglaigh Sir Meliant go mór rompu sin
óir ba dhóigh leis go léimfeadh ainmhí díobh amach air

amhail deamhan dubh as a chuas folaigh is go mbéaradh
bás agus oidheadh gan trócaire air. Agus ghabh faitíos
ainscianta é go mbéarfadh conairt d'ainmhithe allta air
agus go mbéarfaidís leo é is go mbeadh sé gafa in
imreasain uafar ilmharfach gan íoct. Agus dar leis gur
chuala sé a mbúireach i ndoimhneacht na foraoise, agus
a mbladhair cointinne is coimhlinte, ainmhí in éadan
ainmhí, baineann in aghaidh firinn, fireann in aghaidh
baininn, crann in aghaidh crainn, fiú is planda in

aghaidh planda amhail is gurb é ab áil do luibh díobh a bhláth agus a dheallradh a bhaint den luibh eile.

Chuala sé fuaim na cointinne san uile áit; bhí an fhoraois ghruamachta lán coimhlinte agus coinscleo. Éist leo ag béiceach ar a chéile, ar sé leis féin go scéiniúil, pantar dubh na feirge ceilte, leon fíochmhar deargrua na feirge oscailte oibhéalta; troid iongan na leapa deirge; amhastrach na sionnach; uaill an mhic tíre; olagón uaigneach na gcolúr; scréach diabhlaí an ulchabháin óir cé geal taitneamhach an t-ulchabhán den leith amuigh, is dubh a ghníomha agus a oibrithe den leith istigh. Agus seo eisean an gabhar óg macnasach ceannsaithe gafa sa dris ag fuireach le cuain chraosach a chiorraithe.

Agus ro chuala scréachaíl éigiallda na neach thart air agus níor ba léir dó aon chiall ann agus chuaigh sé uile thar a thuiscint agus do ghabh sceoin arís é agus crith baill. Mar níor ba dheimhin leis nach bhfaca sé tamall uaidh i measc scáthanna na gcrann ar thaobh na láimhe clé, ainmhí ag imeacht leis agus a chraos ar leathadh, sionnach nó mac tíre nó cat crainn nó liopard nó pantar agus níor luaithe feicthe aige é ná ghabh fionnachrith a cholainn uile agus theastaigh uaidh scread a ligean ach bhí sé gan ghlór. Théaltaigh an t-ainmhí leis níos faide isteach san fhoraois.

Is ansin a chuala sé uaill in airde, scréach i measc na gcrann ard. Uaill uafar uaibhéalta a bhí ann. Agus chuala se arís í, úruaill uaineach uathúil uaigneach. Agus ba é

ba dhóigh leis nach bhfaigheadh aon bhealach as an bhforaois trína bheatha agus gurb é a bhás a thiocfadh agus go léimfeadh na hainmhithe allta air is miondéithe na hoíche is gan mhoill go stróicfidís as a chéile é agus go scaipfidís a áighí is a bhaill bheatha agus go mbeadh a raibh fágtha de ina chonablach stiallta ar urlár na coille gan súile gan áranna gan chroí gan anam.

XXV

Agus lig sé a ghlúine faoi agus do chuir a ghlór os ard
i lár na foraoise agus is é asbeirt:

Fóirtear orm.

D'aithle na hidirghuí sin tháinig deora méalachta
lena shúile agus níor fhulaing dó gan teilgean sruth thar
ghrua dó. Agus tháinig tuiscint eile chuige agus bhí
fuascailt sa mhéid seo .i. nach raibh aon aird ag na
hainmhithe air agus nár bhaol dó iad mura ndruidfeadh
ina n-aice. Ní cian ámh gur airigh sé síocháin na coille
agus tacaíocht na gcrann. Níor ba naimhde leis níos mó
na hainmhithe folaigh. D'ardaigh sé a ghnúis álainn.
Chonaic dhá éan turtair go ndath mbreacliath ar chraobh
crainn. D'éirigh an dá éan turtair san aer agus d'eitlíodar
leo. Shíl sé go bhféadfadh sé iad a leanúint. Rug sé ar
a chlaíomh. Ghearr sé bealach tríd an bhfialus amhail is
go raibh conair rúin i bhfolach ann ag furnaí leis. Nuair
a d'fhéach sé roimhe chonaic an dá éan áille ar foluain
agus ag scinneadh idir na crainn os a chomhair.

Ní cian gur leathnaigh an chonair roimhe go
ndearnadh cosán díreach idir na crainn de. Bhí na
craobhacha ina mothar dlúthdhorcha os a chionn agus
bhí an seanduille go caoinsiosach faoina chosa. D'airigh
sé an athuair cosaint na gcrann séimh agus coimirce
cheathardhúileach na coille. Bhí cabhlacha na gcrann
mór amhail uaithní in ardeaglais agus bhí durdáil an dá

éan ag imeacht roimhe amhail clog binn fáiltithe á bhaint.

Lean sé an chonair faoi stua na gcrann, í ag síneadh roimhe agus an dá éan turtair ag scinneadh go hainglí athlamh síos a lár. Níor dhamhna sceoine dó níos mó an leon ná an liopard agus fuair anam ann ascnamh na conaire diamhaire a bhí ag síneadh roimhe ní b'fhaide isteach i bhfodhomhain na foraoise.

Ba í an chonair chuí í, dar leis, an séad a toghadh dó féin amháin cé nár léar dó a fhotha ná a fhoirceann. Agus tháinig ardú meanman air agus dóchas agus chuimhnigh sé ar a scéal féin. Is é sin d'fhéach sé le scéal a chur le chéile agus is é seo an scéal mar a d'inis sé dó féin é.

XXVI

Dála an ridire fáin iomorra, do bhí ag imeacht roimhe trí lá agus teora oíche gan aon ionadh nua d'fháil. Insa ceathrú lá tharla é i gcoill dhiamhair deoidh lae. Agus ba mhachnamh mór leis conas a ráinig ann. Ro thuirling dá each agus ro fhág ar imeall na coille é agus ro ghabh ag imeacht na slí dó féin ina aonar.

Ní cian go raibh for mearú agus for seachrán slí. Ro ghabh an fhoraois i ndorchacht agus i ndiamhaire air dóigh nach raibh a fhios aige cá háit a raibhe nó cá hairm a raibh a each ach é ag imeacht roimhe i gcoineascar na gcrann seachnóin na foraoise gan iúl gan urmhaise slí. Bhí na craobhacha ina mothar dlúthdhorcha os a chionn; bhí an seanduille go caoinsiosach faoina chosa; agus bhí cabhlacha na gcrann mór timpeall amhail uaithní in ardeaglais nó aolchoinnle scáthdhorcha in uamhain fhuarga fhíorchiúin faoi thalamh.

Tháining tuirse ansin air i ndiaidh meirtne a aistir agus gairbhe agus aimhréidhe na slite ar ghabh sé tríothu. Luigh sé ar an talamh nocht agus cearchall caonaigh mar fhrithadhart faoina chloigeann agus ní cian gur thit a thámhnéall codlata is tromshuain air.

Chodail sé ansin achar fada agus nuair a dhúisigh sé bhí sé fós san fhoraois agus gan aon eolas aige cén áit a raibh sé agus cén chaoi a dtiocfadh sé as. Agus d'éirigh sé agus thug ascnamh for séad agus rinne geallúint agus is é asbeirt fós nach n-iompódh sé ar ais nó go bhfaighfeadh sé bealach amach as an bhforaois uaignigh. Agus sin é a rinne sé agus sin é an dóigh a bhí sé ar an gconair seo anois.

XXVII

Agus chonaic sé roimhe ag bun an stuara chraobhaigh oscailt gheal mar a bheadh béal forchaol agus fochaol ann .i. oscailt barr-rinneach agus bun-rinneach .i. vesica piscis. Bhí dhá uaithne crainn ar gach aon taobh den doras solasmhar, ceann amháin faoi scáth agus dorcha agus an ceann eile geal amhail is gurb é solas na gréine buí a bhí ag soilsiú air. Ba é seo an doras a dtáinig na hainmhithe allta ann, an t-eitleachán is an t-éinín,

an carrfhia agus an leon ar chuala sé a bhúireach ní fada
ó shin. Agus chonaic sé an dá éan turtair liathchorcra
mhaothbhreaca ag scinneadh leo tríd an doras solasta,
ceann i ndiaidh an chinn eile. Agus shiúil sé ar aghaidh
ag leanúint na n-éan dó agus tháinig fad leis an oscailt
mheathgheal. Agus sheas sé idir an dá ursain mhaorga
uaisle. Bhí neacha cairdiúla i gceithre choirnéal an
dorais, dar leis. Agus shiúil sé tríd an oscailt agus ní
dearnadh aon urchóid dó.

XXVIII

Tharla é in imeall móna bige .i. réiteach beag a raibh
fiodh cluthar caointortach ina thimpeall uile. D'fhéach
sé roimhe an réiteach coille agus na crainn mhóra thart
ar a imeall. Chonaic na craobhacha dubha dlútha os a
gcionn in airde agus ag bun na gcrann uile fréamhacha
fiartha agus brat úrghlas caonaigh á gclúdach. Bhí idir
sholas agus dhorchadas ar an talamh; agus bhí cabhlacha
na gcrann mórthimpeall amhail uaithní in ardeaglais
nó aolchoinnle scáthdhorcha in uamhain fhíorchiúin
faoi thalamh. Bhí sé tar éis teacht tríd an stuadhoras,
idir an dá thúr, isteach san fhásteampall seo, san
fhiodhneimheadh seo i lár na coille diamhaire.

Agus chonaic sé i bhfochraibh na móna crann mór.
Agus b'ábhal agus ba dhírímh méid agus áibhle an
chrainn sin seach crainn eile na foraoise. Crann dosach

díoghainn a bhí ann a raibh duille dlúth air agus bláth. Ba bhile é a líonfadh le meas agus mórmhaitheas iomlán na n-iath timpeall air in am is i dtráth.

Ó bhí tuirse air shuigh sé faoi bhun an fháibhile agus lig a dhroim leis agus lig a scís agus a mheirtne de ansin. Agus d'airigh sé neart an bhile agus a chobhsaíocht le cnámh a dhroma. Chúlaigh sé ina intinn ó ghriothal an chuardaigh agus ghéill do neart an bhile, don tsíocháin ainglí, agus do shuaimhneas neamhaí an tearmainn ina raibh sé agus tháinig forbairt ar a bhríonna.

Agus tháinig faoi fheinistrí a shróine boltanú ainglí amhail a bheadh túis nó miorr nó áraim nó luibheanna dea-bholaidh na beatha ina thimpeall seachnóin na móna bige. Agus fuair arís ina bhéal blas na luibheanna is na meacan milis ro thomhail cheana. Agus chuala arís dordán na gcolúr séimh agus macalla an éinín líofa bhinncheoil amhail a bheadh ag cantain tráth na heaspartan le feascar agus foghar an uisce amhail is gur ann arís don sruthán úd sa choill is gurb é seo a thobar fionnfhuar is a fhoinse íonghlan. Do chonaic sé soilsiú na gréine buí-órga thall is abhus ar chraobhacha. D'airigh sé an bile teann lena chúl agus níor shíl go raibh sé gan fortacht cé go raibh ina aonar, ach tacaíocht aige ó na crainn chraobhacha mórthimpeall a raibh a bhfréamhacha daingean tuiní sa talamh agus a ngéaga ginealacha fairsing lastuas, a mbeangán is a slata, ag síneadh uathu i dtreo na spéire.

Thug sin uile sólás dó agus misneach agus mór-
mheanma agus tar éis tamaill sosa a thabhairt dá cholainn
ar an gcaoi sin d'éirigh sé féachaint na móna timpeall le
súil go bhfaigheadh bealach amach as an bhforaois.

XXIX

Shiúil sé an doire timpeall ag breathnú ar an bhfiodh
dlúth cluthar caointortach ar gach taobh de. Rob áil
leis dul amach as an móin bheag agus níor fhéad le
daingne na n-eachlasc iarnaí seandrise a fíodh go teann
daingean domhain idir na crainn.

Chuaigh sé timpeall arís agus léigh go griongalach
an scríbhinn a bhí greanta sna crainn agus chuaigh sé go
mall tharastu á ríomh agus bhí sé amhail is go raibh a
dhath dílis féin ar gach crann díobh. Rianaigh sé na
feadha deiseal mar seo:

tús freagra

na naoscaí   ag druid óg

i nodaireacht   ag giolla beag

tosach gairme   doilbh dorcha

sin tosach bhúire   in adhbha fhuar

ná trí dhamh   an t-iolairín

ar airde a iacht

Bhí a fhios aige ansin nach raibh aon bhealach aige
amach. Mura mbeadh an oscailt óigíveach ar tháinig sé

isteach ann. Ach ba mhór ab imeagal leis fordhul conaire dá rachadh sé i bhfrithing na conaire sin agus go mbeadh arís ar seachrán slí i ndiamhair agus i ndíchealta na foraoise díomhaoine.

Rinne sé cuaird na gcrann arís agus rianaigh a rá. Ní raibh aon dul thar a bhfocal. Rinne sé a chuaird timpeall den tríú huair. Bhí fiú na hoscailte stuach iata anois air. Bhí sé bactha ag frithfhraigh feadha amhail ag mainnear eachlasc. Iadh an mhóin chumhang air gan éasc, an réiteach beag bhí sé fordhúnta timpeall air. Bhí sé i ngabhann iata amhail lao i loca nó éan faoi bhéal cléibhe nó eilit tnáite leonta i ndeireadh an fhiaigh.

Amharc faiteach dár thug sé timpeall chonaic arís fréamhacha fiartha na gcrann gcianda agus an brat tiubh dúghlas caonaigh a bhí á gclúdach. Dar leis go raibh sé sa chuid is ársa den fhoraois; i ndoire domhain nach raibh aon éalú aige as. Agus do chonaic uaidh faoi scáth leith-eadach an bhile úd ar shuigh sé faoina bhun roimhe, omhna imramhar ina luí ar lár agus ag lobhadh dó féin faoi thiubh-bhrat d'eidheann teann iallghlas. Chuaigh sé d'ionsaí na cearchaille móire agus shuigh uirthi archeana.

Ro ghabh Sir Meliant for chaí agus tuirse mhór. Lig sé a uillinneacha ar a ghlúna agus a cheann ar a dhá bhos agus do bhí faoi dhomhneamna. B'iúd ar an mball é smaointeach deorach léanmhar mar a bheadh soilsiú na gréine múchta air. Bhí sé lán de chéasadh croí agus de thochrá do-fhulaing.

Cúram an ridire fáin fuascailt caingean in iatha aineoil. Ach ní raibh ar a chumas seo a chaingean féin a fhuascailt i gcríocha anaithnide na coille seo agus do bhí go sníomh is suaitheadh mór. Ba ridire ar mearú é. Ní bhfuair sé an ní a bhí sé ag iarraidh agus bhí fós ina aonar. Agus ro ghabh doghra is dipreacóid ábhal é agus ro ghabh ag osnú croí agus ro chaígh go díochra agus ro ghabh á aithisiú féin go mór trí neamhghabháil na conaire cuí. Chuir sé a dhá ghlúin faoi. Chuir ceist.

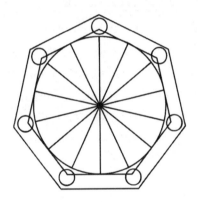

XXX

Ceist. Céard í an chonair chuí?

Ní hansa. An teagasc seo do bhreith leat. Aithint idir maith is olc, idir fírinne agus bréag, deas is clé. Éisteacht leis an réasún docht. Meáigh an uile ní i scálaí na córa creidmhí agus an chruinnmheasta chinnirthe.

Deighil an uile ní le lann na loighice solasta. Ná sáraigh na haithní a dhealaíonn muidne fíréin, clann Dé, an pobal tofa, ó dhaoscar na brúidiúlachta agus na hainmhíochta, aicme na hainmheasarthachta agus na gcos neamhnite.

Mar is é príomhchúram an uile dhuine an t-anam a thabhairt slán. Ní fheictear leat an t-anam. Tá sé níos caoile ná an síoda is bláithe, níos éadroime ná an t-aer. Tá sé glégheal solasta. Is é is cúram duit d'anam a choinneáil íonghlan agus gan a shalú le smál an pheaca.

Mar sin déan gach maith go cruinn; agus an té a labhras an fhírinne ina chroí gan chealg gan ealaín agus, danó, an té nach ndéanann olc lena chomhfhochraibh, sin é an duine a thriallas an chonair chuí. Mar an té chomhallas an fhírinne de ghréas agus an té doghéana gach maith agus an té nach áil leis maith dó féin ach comhchoiteann maitheasa don chine daonna, sin é a leanas an chonair chuí.

XXXI

D'fhíochán na gcodarsnachtaí sonn.

Tuig go bhfuil an bán ann agus an dubh, an t-ard agus an t-íseal, neamh agus ifreann, anam agus colainn, aingil agus diabhal, substaint agus cruth, solas agus dorchadas. Ná bí le taobh an dorchadais ach bí follas solasmhar. Ná measc. Mar is trua do na daoinibh a deir gur olc an mhaith agus gur maith an t-olc agus gairtear fós cúnna an diabhail díobh sin a ghearras leath iarthair an duine agus a dhéanann muintearas lena n-aghaidheanna. Cibé duine, trá, mholfaidh gníomh atá ina pheaca ann féin, ionann sin agus a mholadh a bheith in aghaidh Dé. Agus má dhéanann tusa sin gabhann tú i líon an diabhail an duine sin agus más ea, do mharaigh tú é go spioradálta agus do mharaigh tú fós thú féin. Seachain de sin ar ghrá Dé, a bheith ag feidhmeannas don diabhal. Mar níl an bán dubh ná an dubh bán. Ná creidtear leat sin. Mar an t-éan bán a tháinig chugat mar an t-ulchabhán .i. an t-olcach bán .i. an t-éan fiain a tháinig chugat i gcosúileas ulchabháin .i. an diabhal, cé solas taitneamhach den leith amuigh is dubh a ghníomha agus a oibrithe den leith istigh.

XXXII

Do na tíolacthaí feasta.

Ach féach tusa an tíolacadh a bhronn Dia ort agus bhronn sé tíolacadh éigin ort nach feas duit, b'fhéidir, abair na teora buanna atá ort .i. bua crutha agus bua gaisce agus bua urlabhra; agus ar an ábhar sin ní ceart a thíolaicí do chaitheamh in aghaidh Dé gan a bhuí do bhreith leis. Agus thug tíolacthaí eile fós duit .i. cuimhne agus ciall agus saorthoil. Agus is iomchuí a n-úsáid ach ní ar son an namhad .i. an diabhal.

XXXIII

Don pheaca anseo síos.

Is é sin ná déan peaca, ná labhair focal feirge ná eascaine, déan mar a deirtear leat, abair do chuid paidreacha. Ná smaointigh ort féin ach ar an duine eile. Bí urraimeach béasach. Ná tabhair aisfhreagra.

Mar tá anam an pheacaí dubh agus ní mór anam glan le dul ar neamh. Gabhann an peacaí na séada leathana abhus .i. na conairí sóchais agus sácráilteachta; ach an duine cóir, cé gur bocht dearóil a shéada sa mbith freacnairc abhus, is leathan agus is fairsing iad faoi dheoigh. Mar sin in am meáite na n-anamacha ar shleasa an tsléibhe mhóir agus na scálaí síoraí ar crochadh as dorn an ardaingil agus claíomh rinnghéar an chiontaithe agus an chruinnmheasta sa láimh dheas aige, ná bíodh d'anamsa trom le peacaí ach bíodh sé mar an síoda is bláithe agus glan geal mar an sneachta séidte ag glioscarnach sa ghleann.

XXXIV

Ceist. Cad de an peaca?

Ní hansa. An tan, trá, a cruthaíodh Ádhamh agus Éabha thug an Tiarna sealbh Parthais dóibh idir chrannaibh agus torthaibh ach abhaill na haithne namá, agus do chuir diabhal briocht seirce san abhaill seo seach

74

na habhlacha eile archeana, gur shantaigh Éabha toradh
na habhla, agus ro chomhairligh le hÁdhamh úll a
bhaint di. D'aontaigh Ádhamh an ní sin. Agus tig Éabha
gus an abhaill as a haithle sin agus thug an t-úll agus
an ghéag ar a raibh léi go hÁdhamh. Agus thug an
toradh d'Ádhamh agus do choinnigh féin an ghéag aici

go folaíodh a déanocht óir bhí tlacht tharastu go sin agus ro nochtadh iar ndéanamh an pheaca sa chaoi gurbh iad a bhosa do-bhéaradh Ádhamh thar a dhéanocht in íochtar, agus an ghéag gona duille le hÉabha á fholach.

Ach ná tuig de sin gur úll a bhí sa ghéag ach toradh nó ní heol dúinn cén toradh é.

Agus is de sin tháinig an peaca agus is mar gheall air sin is éigean do dhuine faoistin a dhéanamh. Agus tuig archeana an tan do caitheadh as Parthas iad leis na talúnaibh do shaothrú a mbeatha iontu, rug Éabha géag na habhla ina láimh. Agus an tan do rinneadar cónaí chuir Éabha an ghéag i dtalamh gur fhás go mbláth agus go nduille dearmháil. Agus ro ghabh forbhfáilte mhór iad le fás na géige agus thuigeadar nach ligfí leo an comhartha sin as Parthas mura mbeadh i ndán dóibh a bhfurtacht arís.

Bhíodar, danó, go sníomh is tuirse mhór faoi bhun an chrainn sin agus iad ag teacht thar a ndeacraibh agus thar a n-imní féin, gur labhair an t-aingeal os a gcionn agus is é ro ráidh: créad do bheir ag teacht thar bhás agus orchra an choirp sibh, a dhaoine trua, óir is uaisle agus is onóraí an t-anam ag Dia ná sin.

Ro ghabh forbhfáilteachas mór Ádhamh agus Éabha de sin agus do thuigeadar nár ba bhás dóibh uile.

XXXV

Och níor mhar sin dó féin, dar leis. Má chiontaigh, nár gan a fhios dó féin é? Má thóg an chonair chlé, nach mar gur shíl sé gurbh í an chonair cheart í? Agus cé déarfadh nárbh ea? Nach raibh tíorántacht an chiontaithe lán chomh héagórach leis an gcion féin? Má bhí sé neamh-chiontach cé as an ciontú? Má chlaon sé, cé nár chlaon agus céard ba chlaonadh ann, archeana?

Bhí an dorchadas cruinn arís mar cheo ina inchinn agus a anam dofheicthe i bhfostú i dteagasc nár léir dó lena leas a lorgaireacht trí aimhréidhe na coille codarsnaí a bhí ann agus trí dhlúthfhás na dtoirmeasc agus trí dhoilbhcheo doiléir na n-urchoilltí agus na n-urchosc. Agus dá mhéid a smaointigh sé ar na coinníollacha agus ar na ceisteanna sin is ea is mó a chuaigh siad i gcastacht agus in aimhréidh air agus is ea is mó a chuaigh sé féin i bhfostú iontu. Óir b'fhál eachlasc na toirmisc is na teireanna.

Shuigh sé ar an omhna eidhneánach. Bhí an choill timpeall lasmuigh den réiteach ródhlúth don réasún, don chlaíomh, agus bhí an chointinn sna craobhacha dorcha róghéar agus ródhalba. Bhí sé i mothar dlúth do-imeachta. Is ann ab éigean dó cónaí. Mar níor ba fhurasta dó dul ina fhrithing ach fós b'imeagal leis fordhul conaire da n-imeodh sé ní b'fhaide ar aghaidh, fiú dá mb'fhéidir leis imeacht as an áit a raibh, agus níorbh fhéidir.

Bhí meadhrán agus mearbhall ar a thuiscint agus a chroí trom le himní.

XXXVI

Is amhlaidh a bhí sé gafa in eangach chodarsnach na teanga agus an teagaisc, fíochan friotail nach bhféadfadh sé a scaoileadh ná a chur de: fear agus bean, athair agus máthair, an rós dearg is an lile bán, an ghealach is an ghrian, an ceol is an bláth, an dea-bholadh cumhra is an aibhéis uafar, ceol an éin agus uisce an tsrutháin, an lámh dheas is an lámh chlé, an mhaith is an t-olc, an tsochaí is an t-uaigneas, an chaí is an gliondar, an fhírinne is an bhréag. Agus tháinig chun cuimhne aige scéal eile.

Ba í oíche na Cincíse a bhí ann. Bhí teaghlach Artúir uile i láthair agus ridirí uile an Bhoird Chruinn ina gcathaoireacha féin agus cách ina n-ionadaibh imchuí uaidh sin amach. Ba é an t-am de lá é tráth na nóna nuair a chonaiceadar chucu sa dún, seanóir anaithnid go n-éagosc ainglí go lasair grá Dé ina ghnúis chaomh chorcra. Agus tháinig an seanóir i bhfianaise an rí agus is é asbeirt:

Síth maille libh, ol sé. Ag so liom daoibh, ol sé, an ridire atá sibh ag iarraidh le ré chian agus is neach sin ro tuismeadh ó ardshliocht uasal agus is leis a chríochnaítear iontais na talún so agus agus na gcríoch eile i gcoitinne fós. Mar sin bígí aonta gan a bheith easumhal, ciontach gach a bheith maíteach. Bíodh grá tairiseach agaibh do Dhia seachas leisce a bheith oraibh deora bhur gcroí a shileadh. Bíodh leisce oraibh lúcháir a dhéanamh i bpeaca, ach bígí doilíosach chun an tinneas a oscailt le go bhfaighe sibh leigheas.

Agus labhair an seanóir de ghuth ard agus is é asbeirt archeana:

Is é rom sheol chugaibh an díthreabhach naofa .i. Nasiens, do bhur bhfortacht agus do bhur gcomhdhíonadh agus d'fhoilsiú daoibh amhail is dír daoibh ascnamh an chonair a thriall dóigh is amhlaidh dlitear a thionscadal, le coibhseana comhlána, le haoine agus le hurnaí, le hinfheitheamh léir i nDia, óir ní neart slua ná sochraide a theastaíonn ach muinín Dé. Agus is ea a deir sé libh fós, gan mná do ligean libh, óir ní gnáth dealú gan ciontú le caoimhe banscál.

Mar sin is í comhairle do bheir sé don té atá ag lorgaireacht, coibhseanú, an teidhm a scaoileadh, an t-olc a insint agus ní an mhaith. Is é sin, archeana, gan a bheith i do sheachantóir ach a bheith umhal agus glan díreach ó thoil an chroí an scéal a insint gan cam ar domhan. Iarr maithiúnas.

XXXVII

Agus bhí de mhéid is d'ainsciantacht na smaointe sin gur ghabh sé ar a éagnach féin arís agus is é asbeirt:

Ní mise an té a bhfuiltear ag furnaí leis le hilbhliantaibh, an ridire is cróga agus is fírínní ro fhulaing an talamh a thadhall riamh.

Agus ro mhaígh tocht mór ar an ridire leamh.

Och, och, och, ol sé, céard rom ghluais gus an maighean seo? Cé dúirt riamh gur sa treo seo a bhí an áit a bhí uaim? Agus cén cineál áite í, archeana? Nó an ann di?

Mar bhí an choill mór ábhal agus dorcha dothreáite agus bhí an chuid sin de féin b'anam leochailleach ró-éalaitheach agus lag. Shuigh sé ar an omhna amhlaidh sin le sealad fada. Fodhomhain na foraoise aneachtar bhí soitheach geal seolórga na gréine ag gluaiseacht roimhe trí chrioslach na firminte ó theirt go seist, ó sheist go nóin, agus ó nóin ar aghaidh go séimh go feascarthráth. Bhí an lá ag dul chun éaglaigh agus an t-aer ina thimpeall ag dul i meathlaíocht agus i ndúléithe.

XXXVIII

Isat lofa. Isat peacach. Isat crua ná cloch. Isat lomrachta ná crann figí.

Iar rá na nathanna teagaisc sin dó, ro ghabh doghra agus dipreacóid ábhal é .i. Sir Meliant .i. an fear aineoil .i. an ridire fáin agus ro ghabh ag osnú croí agus ro chaígh go díochra agus ro ghabh á aithisiú agus á imaithisiú féin go mór trí neamhaimsiú na conaire amach as an bhforaois agus ro ghabh for a éigneach féin arís agus is ea asbeirt:

Rom dhallsat mo dhoghníomha .i. m'fhéinspéis, sa

chaoi nár réal dom an séad a thionlacfadh as an gcoill dhiamhair seo mé agus as aimhréidhe na foraoise díomhaoine seo .i. an chonair a thabharfadh chuig an áit aoibhinn mé. Ní mise an té a bhfuiltrear ag furnaí fris. Ní mise an ridire canónda. Bhí mé easumhal. Bhí mé amaideach dallintinneach.

D'ardaigh sé a ghuth sa choill uaigneach agus is é asbeirt:

Á, ar seisean, nach bocht mé. D'fhan mé i mo thost tráth cainte agus labhair mé gan éifeacht an uair ba chóra dom fanacht ciúin.

Cén mífhortún, a Mheliant an Mhí-ádha, ar sé leis féin, nár chuir tú ceist? Nár labhair tú nuair b'iomchuí labhairt?

Á, ar seisean, níor éist mé leis an tost, archeana, ach le mo mhístuaim féin. Níor aithin an rud b'inaitheanta thar an bhfalach fial a bhí thairis agus ghlac scáth roimh an earra gnách. Níor ghlacas stuaim nuair ba ghá sin ach ag siúl liom gan faichill gan faire gan seasamh fíoránta féachana. Ligeas don áilleacht éalú, an ghile cheansa, agus an binneas airgid, agus an uaisleacht ilbheannach, agus an bhúidhe órchroíoch, agus an chaithis chiúin. Níor chomhair mé an comhar a bhí ina sheasamh os mo chomhair ach lean orm níos doimhne isteach sna castachtaí. Bhí sé amhail is go ndearnas feall ar an iontaoibh laethúil.

Agus thug sé a thromosna croí as.

Amhail a tharla don té a thóg an caistéal gan fundaimint agus ar a fhorbadh dó do thit in éineacht; nó amhail a tharla don té a chuir an síol sa charraig chlochach gur itheadar éin agus eathaidí an aeir é óir ba shaothar gan tairbhe dóibh a ndís a ndearnadar. B'amhlaidh sin domsa.

Ansin arís cheistigh sé an breithiúnas sin agus ar an ábhar seo nach raibh aon fheall riamh ar intinn aige ná drochrún ach díth céille agus dearmad agus dalbacht dhúr agus cé d'fhéadfadh teacht tríd an gcoill ar aon chuma eile ach an bealach ar tháinig sé féin ach an té ar tugadh mar aisce dó teacht trí choillte.

Ansin is é an peaca a chuir sé ina leith féin an dearmad agus an díthuiscint agus b'fhearr leis bás ná beatha an tan fuair a dheimhin ann féin den iliomad dearmad a rinne sé. Agus ba deimhin leis anois nach n-aimseodh sé conair amach as an réiteach ná as an gcoill, archeana, ar an ábhar sin agus nach bhfeicfeadh an t-ionad aoibhinn agus an ghile shómhar lena bheatha.

Agus bhí sé ag sníomh agus osnú agus ag caoineadh ar an omhna agus ag teacht thar a dheacra agus thar a imní féin agus ro ghabh ag aifirt agus ag iomaifirt air féin níos mó ná riamh faoin mothar caoin a fhágáil agus imeacht leis mar a rinne seachnóin na foraoise gan iúl gan urmhaise slí.

Agus ro bhí Sir Bile .i. Sir Meliant .i. Sir Mise .i. an

ridire fáin .i. an fear aineoil .i. an ridire for mearú, ina shuí ansin go ndubhaí agus go ndomheanmain agus é faoi chaí, faoi thuirse, is faoi dhobrón. D'airigh sé brí a ghéag á díobhadh, an bheocht ag imeacht as a cholainn, an fhuil ag tanú ina chuislí. Agus ro ghabh ag ceistniú is ag creimchire air féin arís agus á iomaifirt féin agus á aithisiú agus á imcháineadh féin archeana amhail is díochra a d'fhéad.

XXXIX

Cé air a mbím ag fulaingt san éigean seo i bhfuilim gan fáil agam fós ar fhurtacht? Óir níor fhulaing neach riamh aithghin an éigin a fhulaingím an tráth seo. An fada eile sa nguasacht seo mé? Nó cé mar a éireoidh liom archeana?

Cad do bhí ag teacht air? Arbh fhéidir nach raibh sé ceart ann féin? Arbh fhéidir gurb é an fiodh seo a bhí dulta go smior ann agus a mhearaí imithe trína chorp uile agus isteach ina inchinn? An é nach raibh sé saor ar chor ar bith ach é gafa in áilleagán intreach éigin nárbh fheasach dó a fhaibhriú ná a fhoirceann?

Céard a thug anseo mé i mo shuí ar an omhna lofa seo os comhair an bhile coille seo? Céard a thug gur duine uathach inaitheanta mé agus fós gur mise mise istigh ionam féin?

Ach ro fhan sé ina shuí, a shúil faoi úir, é ag

breathnú roimhe go dólásach ar na duilleoga dubha
agus ar an mbrosnach chríon.

Cé mé fhéin? ol sé. Nó cé as a dtáinig? Cá hairm a
bhfuil mo thriall? Cad é féin atá mé ag lorgaireacht? Rud
nach bhfaca go hiomlán riamh thar an bhfolach diamhair
a bhí thairis? Agus cad is bun leis an lorgaireacht seo
ar aon chuma? Agus cad is fáth agus is foirceann di?
Agus ab in a bhfuil ann? Dairtheach i réiteach coillearnaí;
sólás díthreabhaigh; faoistin fhial; agus lámh chaoin ar
bhaithis aithrígh i gcillín fíobha gan fothal?

XL

Agus d'éirigh sé ina sheasamh agus shiúil thart sa
réiteach. Freagra ní bhfuair ón scríbhinn chranda. Ní
raibh aon éalú aige uaidh féin. Agus ba mhóide a ghol
an t-éagumas absalóideach sin. Chuaigh sé ar ais chuig
an omhna agus shuigh air arís.

Do bhí ina aonar ansin le coineascar ar an omhna sa
choill uaigneach cúlaithe isteach sa neamhbheith agus
dealaithe ón saol, beag ann féin, gan aird. Agus mo léan
bhí an oíche ag titim. Mar sin ghéill sé don áit a raibh,
don chointinn a raibh sé gafa ann gan éalú, san iomdha
fiodhach seo ag deireadh an lae. Do ghéill don ghnáth
mar nárbh acmhainn dó a mhalairt. Ro ghabh sé for
scrútan a mheanman agus for smaointe iomaí.

Agus ro bhí amhlaidh sin go ndubhaí agus go

ndomheanma á aithisiú féin. Mar thuig sé nár dhuine maith é. Duine maith ba ea Sir Galafas a ghabh a bhealach féin insa leith ndeis nó Sir Pearsaual ciúin nó Sir Bors néata. Ach é féin, Sir Meliant, duine táir gan bua gan beannacht gan bunús gan barrslacht a bhí ann. Duine ar theip air. Mar nach raibh ann bua seasmhachta ná suáilce ná síríocht an ridire.

Easonóir atá i ndán duit, a Sir Meliant, ar seisean leis féin. Ná bíodh iontas ort más ea, a sheachantóir shuaraigh, is duitse an cupa náire nach mór duit a ól go moirt.

Is ansin do thionscain Sir Meliant ar sceith a dhuáilcí amhail is díochra a d'urmhais orthu; agus d'inis a fhocail feirge agus a mhianta easumhla agus a mhíthuiscintí agus a mhoille intinne agus a imeacht ón gconair chuí mar a thuig sé sin agus nithe eile nár thuig sé a meabhair ná a meáchan nó cé acu ar nithe fuaimintiúla iad nó nithe fánacha ach mar a d'éirigh chuige ón teagasc a bhí faighte aige.

An chealg ba nimhní agus ba mharfaí an chealg a d'imir sé air féin trína thost agus trína mhíthuiscint, trína fhéinspéis, agus trína easpa samhlaíochta, trína easpa féile. Spíonta a thuisceana fallsa á mbrú féin ar a chroí ba ghéire agus b'éadulangaí; ba mheasa go mór iad ná fiacail an ghadhair fhiain nó teanga nimhe na nathrach.

Gheall Sir Meliant go ndéanfadh iarracht a bheith

go maith agus d'iarr go maithfí cibé cionta a rinne sé dó. Agus do gheall Sir Meliant bocht dearóil ó chroí agus ó urlabhra nach dtadhallfadh sna duáilcí céanna arís an chéin do mhairfeadh sé.

XLI

Ro theilg Sir Meliant ina mheanma nárbh fhéidir an t-ionad a raibh d'fhágáil agus do bhí go dubhach dólásach lán d'amhras agus d'imní iar bhfuinneadh lae. Ba é ba mhian leis luí ar an úir nocht .i. ar an gcaonach tais go dtiteadh a thoirchim suain agus suaimhneas codlata air, deoidh lae le meirtne a aistir agus le tuirse a shaothair. Ar an ábhar sin ro bhain a sheanchlaíomh dá chrioslach, bhain de a éide, agus thug a ghnúis le lár. Ansin ro shín a cholainn re hais an omhna eidhinn agus ro luigh ar an úir nocht faoi scáth an bhile agus os comhair na beithe. Agus ba leath-theolaí leathshámh a luí ansin, an duille buí ina fholt agus cruashlata úrchoill faoina ucht geal aolchnis.

Agus do chuala sé caróg in airde géag is caróg eile á freagairt, iad araon ag lorg goblaigh le cur ina mbéal. Agus ní raibh sciath aige faoina luíodh sé síos, ná brat uime a chlúdódh a chorp; ní raibh cú aige lena shála, ná seabhac dílis ar a láimh; ní raibh bean a shínte ná a chaointe ar na gaobhair, ná fear a fhuascailte nó a fhurtachta ag teacht ar tí a tharrthála. Ní raibh, ach an charóg ghéar nó an fiach dubh, ag faire na creiche agus ag fuireach go foighneach le go sciobfaidís an tsúil ghlas as a chloigeann, nó go dtabharfaidís urla d'órfholt an ridire fháin ar ais leo faoi dhéin a nide.

XLII

Is ansin a thit a thoirchim codlata air le meirtne an aistir agus le scís an lae agus le tuirse an mhéala a imríodh fair agus do bhí amhlaidh go meán oíche.

Ba chorrach sceinmneach ro chodail sé an oíche sin, é i gceas cumha agus comhthuirse amhail a bheadh i dtús treabhlaide nó tromeasláinte. Agus trína shuan dó .i. sa ghúchodladh scinnideach, do bhí ag siúl an athuair trí shlitibh garbha coilltiúla dorcha dearmháile crua fásúla ró-fhada agus trí choillearnaigh chasta chiarchrua agus trí dhoirí duaiseacha drisiúla dorianaithe thar lombhacáin lánloiteacha agus síos caoch-chosáin síorlúbacha agus conairí caola contúirteacha agus á fhiafraí de féin i rith an ama cad í an bheatha do bhí aige agus á fhreagairt féin de shíor nach raibh ní ar bith, óir ní raibh teach ná trinsiúr, cathair ná cuibhreann, dún ná díonadh, riamh ar an bhfásach sin. Bhí sé ag siúl is ag siúl mar bhí sé gafa gafa ag driseacha driseacha driseacha agus bactha ag bacanna agus ag bacáin bacáin.

Agus i lár na foraoise uaigní ainscianta tháinig sé ar réiteach beag agus chonaic sé ann na heathaidí allta is na hainmhithe fiaine, iad in aon bhuíon fhíochmhar amháin ag damhsa is ag princeam leo is ag forléimneach thart i gciorcail taobh istigh de chiorcail is ag ceáfráil leo tríd an lusra dubh: an draig is an gríobh is an hipighríobh, an ceinteár, an vuibhearn, an t-aonbheannach, an bheithir, an baisileasc, an nathair is an rínathair, an torc is an fia dubh, an t-árchú, an t-onchú, is an faolchú archeana, agus an pantar dubh ag rith thart agus eathaid fhuilteach anaithnid ina chraosbhéal lán, an liopard leis, is an leon leadarthach ag búirtheach ag lorg díol a alptha, agus an chailleach oíche ag eitealach ón gcraobh dhubh anuas, agus míolta anaithnide eile ag tabhairt craosruathair choitinn faoin neamhchiontach.

Ro ghabh an leon ar reabhradh agus ag eiteallach leis an antalóp agus ag lúdh agus ag lusradh uime amhail is díochra a d'fhéad. Bhí an fia-chat ann agus an fiach dubh ag tiontú sholas bán na gealaí ina speabhraoidí, agus an duilliúr dubh ina lasracha buí, deargórga, agus dearg, agus buídhearg agus buí-órga, agus iad ag scinneadh idir scáil-eanna scáfara na gcrann, sa chaoi is go raibh an réiteach mar a bheadh forfhaiche fiantais os comhair fiatheampaill scáthdhorcha agus níorbh fhada ó láthair na céimeanna aolchloiche cianaosta ciarshleamhaine suas go dtí é, iad tais dúghlas le caonach is le caladhsmúit na n-aoiseanna agus istigh ann na lasracha anamúla ag ciorcalú is ag ciorcalú is ag ciorcalú agus an fala ina gcroílár.

XLIII

AN GHIÚSTÁIL BHRIONGLÓIDE

Go tobann tríd an drongbhuíon ainmhíoch tháinig cúig neach dá ionsaí agus is iad a bhí ann na daoine ar tugadh dóibh an gradam iomlán a bhaint amach agus an cúrsa a chríochnú agus bhí a fhios aige go raibh sin déanta acu mar ba ridirí brionglóide iad. Agus ba dhóigh leis gur de theaghlach Ching Artúr iad mar is armúr geal airgid a bhí umpu agus ba shlua dífhreagra dofhulachta taitneamhach iad go n-éadrachta gréine, go soilse ruithneach, go mbinne ceoil. Agus tháinig duine acu chun tosaigh agus stad os comhair Sir Meliant ag breathnú air. Níor labhair.

Agus labhair Sir Meliant leis-sean iar dtain.

Mochean bhur dteacht, ol seisean leis. Scéal libh dúinn?

Níor fhreagair sé.

Sibhse, danó, ol Sir Meliant leis ansin, an ro tarfas daoibh an ní atá sibh ag iarraidh?

Níor fhreagair sé. Agus níorbh fheasach do Sir Meliant arbh fháilí, trá, na ridirí don aitheasc sin nó nárbh ea.

Ní cian go bhfaca .xx. ridirí armtha in éadaí dubha chucu agus ro fhiafraigh siadsan scéala de Sir Meliant agus den .v. ridire eile agus d'inis siadsan dóibh gur de theaghlach Ching Artúr dóibh.

Ó do chualadar na ridirí dubha sin ro ghaireadar in éineacht ina n-aghaidh agus ro ghabhadar á ndiúracadh do na sleáibh a bhí acu. Agus ba é an cineál slua a bhí ann slua dubh dorcha ilbhréan ilbhruthach deabhach trodach tuairgneach tinneasnach forbhréan folamh feargach feochair foloiscthe screadach guthach goirt géar gubhach amhnas éadrócar maoithneach marfach malartach arnaidh ainsearcach adhfhuafar niata nimhneach naimhdeach neamh-mhaorga tuathail toirmghlic tréanchalma olcach ainimheach imreasach.

Agus na ridirí eile ro bhí in éineacht le Sir Meliant ro dhreis a n-eacha go díreach ar amas na ridirí eile agus ro ghabh á n-athchumadh agus á n-airleach gan doicheall. Agus na ridirí dubha thug siad ruathar neanta faoi na ridirí geala amhail sí ghaoithe thar droim machaire sléibhe i mí Márta. Agus b'ábhal agus b'adhuafar an cath d'fhearadar eatarthu agus an chointinn agus an choimhlint a d'éirigh idir an dá thaobh.

An tan iomorra ro chomhfhogasaigh tháinig saobh-shíon san aer .i. d'ardaigh an ghaoth agus ro mhéadaigh an fleochra agus d'adhnadar na tintí agus na toirne agus thug an dá shlua millteacha faoina chéile go docht doscaoilte: Ridire an Aeir i gcoinne an Ridire Chorcra, an Ridire Iarainn i gcoinne an Ridire Thirim, Ridire an Leoin i gcoinne Ridire an Róis Dheirg, Ridire an Lile Bháin i gcoinne Ridire na Tine, agus an Ridire Geal i gcoinne Ridire na Gealaí agus Ridire na Gréine araon.

Agus dhírigh Sir Meliant ina n-aghaidh agus thug fogha de gha ar an bhfear ba neasa dó díbh, gur leagadh dochum talún é féin agus a each in éineacht. Agus d'éirigh sé i gcéadóir agus do chuir lámh i ndornchla a chlaíomh agus thóg an claíomh as an inteach agus lúb an claíomh ina lámh amhail ba shnáth agus rinneadh neamhní de. Agus bhí Sir Meliant sáinnithe idir an dá shlua agus ba dhuaiseach agus ba lándeacair na coinn-íollacha catha agus caismirte a bhíothas ag leagan roimhe agus ba dhosháraithe. Is suaill nár claíodh é san iarracht: olc nár aithin sé a admháil, peacaí nárbh eol dó a sceitheadh, breith ar an duibhe san áit nach raibh dar leis ach grian. Agus an fhoirfeacht a shíl sé ar uairibh a bhí infhaighte, an íonghlaineacht a bhreathnaigh chomh gléineach geal insroichte amhail sneachta aon oíche agus chomh somhianaithe leis, is í a bhí anois á bhualadh de dhrochbhuillí badhbha sa chaoi is go rabhthas á dhamnú mar gheall ar gan an rud dodhéanta a dhéanamh agus bhíothas á thuargaint mar seo is mar siúd idir na ridirí geala is na ridirí dubha is na ridirí eile archeana.

Agus do thuargain an slua mór Sir Meliant agus ro mharaíodar a each, agus chaith siad é dochum talún arís. D'éirigh sé arís agus thug ridire díobh suinseamh santach sleá ar Sir Meliant go raibh ina bhomannaibh sa sciath ar ndéanamh brioscbhruar di. Ro héinirtíodh an té Meliant faoi dheoidh le hiomad an anfhorlainn

agus le deacracht na deafa ro fhearsadar leis, agus ro
leagadar go talamh é, agus ro bhaineadar a mhionn
catha dá cheann, agus ro gháir an slua agus d'fhiafraigh
duine den duine eile an marbh a bhí an ridire fáin agus
is é a dúirt an duine eile:

Ní fheadar óir ní orm atá a choimeád.

Ach nuair a chuala na ridirí sin d'ionsaigh siad na
ridirí eile caol díreach. Agus is iad a bhí ag athchumadh
agus ag bualadh a chéile sa chaoi is nár aithin sé thar a
chéile iad ach shamhlaigh leis go raibh an Ridire Ard in
éadan an Ridire Bhaoith agus Ridire na Leisce in éadan
an Ridire Nua agus an Ridire Seang in éadan an Ridire
Chorcra amhail a dúramar romhainn. Agus dar le Sir
Meliant bhí gach rud trí chéile sa chaoi is nárbh ann
don dubh agus don bhán, don deas agus don chlé, don
ard agus don íseal, ach gach aon rud measctha agus
comhshuaite ina chéile.

XLIV

AN BÁS

Foghar iomorro agus briseadh na sleá agus foghanna
faobhracha tromthuinseamh na mílí do chuir gráin
agus imeagla air. Agus ro bhí Meliant ina fhaonluí
ansin ar an talamh úirnocht, a each ar iarraidh, é féin
caite anuas agus a chafarr sa chré. Chonaic sé ní,

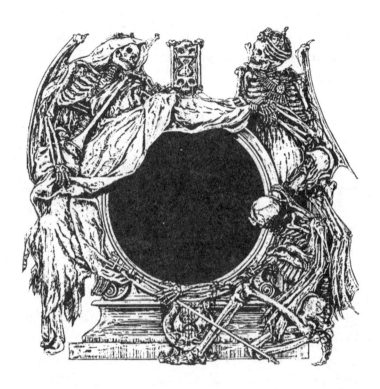

archeana, ridire aonair chuige amach as comhra dorchadais na coille. Bhí stéid faoi chomh bán le ceo is ní dhearna a chrúba aon torann ar úir chaonaigh na foraoise. Bhí a aghaidh clúdaithe le doirche a mhinn chatha agus bhí cathéide uime níos duibhe ná gual gaibhnithe arna bhá in uisce oighreata. Bhí onchú dubh ar chuaille airgid lena ghualainn chlé, é chomh dubh le doimhneacht na síoraíochta ach rós bán air.

Agus ghabh uamhan agus imeagla Sir Meliant le feiscint an eich bháin agus an ridire dubh in airde air.

D'fhan sé ina luí ansin ar an talamh úirnocht ag breathnú suas ar an neach uafar a bhí tar éis láithriú os a chomhair. Ní raibh aon ní ar chumas Sir Meliant mar ní raibh aon ní indéanta feasta. Níor airigh sé aon ní, níor chuala aon ghlór, ní bhfuair boladh ná níor fhéad corraí agus níorbh fheasach dó nach é an bás féin a bhí chuige .i. an ridire mór dubhéadaithe a d'fhág na sraitheanna corp ina slaoda ina dhiaidh, blaoscanna bána, cnámha forscaoilte, smiolgadáin silte, coróineacha, mítir, hataí, is cáibíní feilte á slogadh ag cré na díchuimhne ina dhiaidh aniar.

Agus ro tharraing sé seo a chlaíomh as a inteach agus d'oscail a úrbhéal dofheicthe gur lig casair thine thar a mhórchraos dá ionsaí, agus ro lig gaoth teaspaigh ina éadan agus ba dhóigh le Sir Meliant nach bhfágfadh nach n-alt nach n-áighe leis gan loscadh. Agus is amhlaidh sin a d'ionsaigh an Ridire Dorcha Sir Meliant gurbh é ba dhóigh leis gurb iad geataí ifrinn féin a bhí arna oscailt os a chomhair.

Agus labhair an Ridire Dorcha agus is é asbeirt:

Tá Íodh na Céideamhna chugainn trá, ol sé go mailíseach.

Agus leis sin thug an ridire ábhal .i. an Ridire Dorcha croitheadh fíochmhar dá shrianta agus bhroid an t-each bán amhail is go raibh deifir dochum díobhaidh air agus deabhadh chun dochair agus ro bhíog Sir Meliant as a ghúchodladh i gcéadóir.

XLV

Is ansin ro ghabh fuarchrith a cholainn uile agus ro ghabh imní chreathnach a intinn thraochta, agus do tháinig neamhtheas cuisniúil na coille dorcha agus fuaraíocht fholamh na hoíche ina ábhar uamhain agus imeagla; mar níorbh fheasach dó cé na míolta agus na heathaidí éigeansa a bhí fíor agus cé acu ar speabhraídí dosmachtaithe brionglóide iad agus cé acu a bhí san fhoraois a d'imreodh bás agus oidheadh éadualaing air, idir leon agus liopard agus nathair nimheach, archeana, agus cé acu nach raibh iontu ach dúile faitíosa agus imeaglaithe agus cé acu ina dhiaidh sin ar neacha neamh-shaolta fíordhocharacha iad.

Agus bhí Sir Meliant ag ochadh ina aonar ansin agus níor fhulaing dó gan teilgeadh deor thar ghruaibh dó le méad a uamhain agus a fhaitíosa. Is ansin a lig sé a ghlúine faoi gur nasc a mhéara ina chéile agus gur sháigh sé a mheanma go hinfheithmheach i nDia agus as doimhnibh an foraoise istigh ann d'éigh agus do ghuigh uma fhortacht as an éigean ina raibh, amhail do shaor Iónas as broinn an mhíl mhóir, agus Dainéil as an gcuithe leon, agus na maca as an sorn tine ag Nabúcdanasar, agus Dáinid ó Gholae, agus araile nach ríomhtar sonn. Agus labhair sé idir codladh agus dúiseacht agus an chuisne ag snámh ar a chraiceann, agus is é asbeirt:

A Dhé neimhe, a Dheus Pater, ol sé, a dhéantaí na

ndúl agus a fhurachtaigh na hÁdhamhchlainne, ós tú do chaith mé san ainéigean a bhfuilim san fhoraois dhíomhaoin seo, má thuilleann paidreacha bochta umhla na daonnachta aon chúnamh ó do dhiagacht, impím agus achainím ort, feinistrí do thrócaire a oscailt agus mé a dhíonadh ar ilchealgaibh na coille. Agus más é do thoil é agus tóg uaim tinneas agus seirbhe na tuirse atá orm, agus tabhair d'uídh i do mhórthrócaire féin do bhrón mo chroí agus do mhórimní m'anama agus ná féach ar mo mhainneachtain ná ar m'aimhghliceas ná ar m'ainbhios, ach féach ar do mhaitheas agus ar do mhórgacht féin. A Dhé na buí agus a trócaire, a Dhé na ceansa agus na connailbhe, a Dhé na humhla agus na háilghine, a rífhlaith neimhe agus a rialtóir talún, a Dhé na Ríochta, seo mé aithríoch agus doilíos croí orm, deonaigh mé a shaoradh ó chontúirtí uile na coille agus tabhair cabhair agus cairde dom agus saor mé ón nguasacht a bhfuilim; óir is tú a chruthaigh agus a cheannaigh mé agus treoraigh mé agus tabhair eolas dom agus taispeáin dom craoibhín de d'olltrócaire órga ionas gur féidir liom an cúrsa seo a chríochnú go slán agus an chonair chuí a aimsiú as an bhforaois.

Agus ro bhí amhlaidh sin ag guí go díochra gur rug ar dhornchla a chlaímh agus féach an t-iasc ón Eafraen chuige nach bhfulaingeodh a thuilleadh buartha nó seachrán comhairle; agus le meirtne a aistir agus le méid an mhéala a imríodh air, thit néall codlata air i gcéadóir.

XLVI

Gairid iomorro do bhí an tan do chuala foghar mór agus toirmchrith ábhal trína néal suain agus do chonaic óglaoch álainn inamhais ag teacht ar úir an fheadha chuige agus stéad mongach meargánta faoi go ndath eala. Do bhí éide sreabhnaí sróill air go n-éagasc solas sneachtaí, brat uaine uime agus casán gealairgid sa mbrat os cionn a bhroinne.

Ba lasta a aghaidh shoilbhir le ruithní grianda agus bhí fleasc ghealóir amhail fáinne úllchraoibhe fite os a chionn. Bhí éanlaithe beaga agus dealáin iomaí ag eitealach timpeall air amhail liaga lómhara ag glioscarnach.

Ba sholasta an mhóin bheag le hionsorchú an éasca agus chonaic sé i ndiaidh an óglaoich aniar an carrfhia uasal ag siúl go stáidiúil agus ceithre choileán cheana leoin ag lúth agus ag lusradh uime. Agus ní raibh a fhios ag an ridire fáin cé as a dtáinig nó conas a tharla sa choill iad murar tháinig anuas as an aer eadarbhuas amhail saighneán tintrí.

Ro thuirling an t-óglaoch dá each i bhfochraibh na móna agus do sheas le taobh an bhile agus do leag lámh air.

D'airigh an ridire fáin luisne ar a aghaidh amhail gaoth shéimh teaspaigh ar a éadan. Shuigh sé aniar agus fionnaitheacht ar a chraiceann. Tháinig aer úr faoi fheinistrí a shróine go mboltanú neamhaí amhail is gurb iad túis nó miorr nó luibheanna dea-bholaidh na beatha a bheadh ina thimpeall máguaird. Gairid iomorro gur chuala foghar srutháin dá ionsaí agus dordán beach agus ceol ilmheascaithe amhail claisceadal aingeal agus cantain éan chomh binn is a chuala riamh. Bhí mar a bheadh suaitheadh agus sochracht ar áilleacht na coille.

Bhreathnaigh an t-óglaoch ar an ridire fáin. D'éirigh an ridire fáin ina sheasamh.

Síth maille libh, a dhuine uasail, ol an t-óglaoch. Ná bíodh faitíos ort.

Mochean romhat, ol an ridire fáin. Is fó liom do theacht.

Scéal libh dúinn, ar an t-óglaoch.

Mé a bheith i m'aonar ar seachrán agus faoi mhearú mór agus gan aon slí agam amach as an gciarchoill seo agus mé a bheith i ndrochmheanma agus thíos ionam féin go mór.

A ridire fáin, ol sé, níor ba chóir duit a bheith amhlaidh sin go dubhach agus ar díth meanman, óir ba chóra duit meanma neartmhar agat dod chomhdhaing-niú féin inás a bheith dod thoirmeasc féin ón séad atá romhat. Óir i gcroí gach duine tá géag den abhaill curtha ar léi a d'fholaigh Éabha a déanocht óir rug sí léi í as an ngairdín múrach agus ní ligfí léi í mura mbeadh i ndán di filleadh ann arís. Sin é an scéal.

Maith an scéal é, ol an ridire fáin.

Maith an scéal é, ón, ol an t-óglaoch. An gairdín múrach, an t-ionad aoibhinn, an t-oiribhear álainn. Agus sin sa chaointír chobhsaí cheathartha chóir, an tír a bhíonn torthach de mhuir agus má, machaire agus coill, loch agus abhainn. Sin í an áit a mbíonn na crainn chaointortacha chnuastroma timpeall léanta míne féar-ghlasa, agus sruthráin ghlé ghormghlasa ag rith isteach i linnte taisgheala tláithe scáthfhíora. Sin í an áit a bhfuil an bile bláfar ann is na héanlaithe ag cantain cheol na dtráth, agus na céadta ceolta maithe eile, archeana. Faightear ann, iomorro, láiche na n-ainmhithe allta, caoimhe éan gan chais, aimsir shoineanta, an leoithne mhánla, is an fleochadh bog braonach tráthúil. Is ann fós a fhaigheann boicht agus daoine trua a gcomhdhíonadh agus a bhfortacht.

Maith, maith, ol an fear aineoil.

Nach fearr duitse uime sin, a Sir Meiliant, a bheith ag lorgaireacht ná i do shuí anseo go n-uallghubha agus go ngolmhairg ndeorach? Mar is é is cóir do ridire amhail tusa meanma neamheaglach le fulaingt imní agus éadulaingt.

LXVII

Ó do chuala Sir Meliant a ainm á rá do dhlúthaigh leis an mbile agus ro lig a uillinn leis óir ba mhór ab ionadh leis go raibh ina fhreacnarcas fear aitheanta a ghlaoigh air as a ainm, an t-ainm dílis a bhí air féin; agus ro ghabh for áineas imagallmha leis an óglaoch, óir ba fháilí leis labhairt leis le somhilse a inste agus le hiomad a eolas um gach caingean ro fhiafraigh de, agus ro inis dó a imeachta féin agus ro inis dó a bhfuair sé de dhua agus de dhochar, d'olc agus d'imní, sa chiarchoill mar a dúramar romhainn. Agus bhíodar ar na hiomráite sin sealad fada. Agus d'fhiafraigh Sir Meliant de cá raibh an gairdín aoibhinn agus céard air a dtáinig gus an áit seo.

Cian ámh a thánagsa, ol an t-óglach. Óir rob eagal liom mearú do imeacht ort le méid d'uamhain agus d'imeagla. Is air sin thánagsa le nach mbeifeá saofa i ndíchreideamh agus i ndearchaoineadh.

Agus ba lánsásta Meliant gur tugadh freagra air

agus labhair leis an óglaoch amhail ba chaomh agus ba chara leis é.

Ionadh liom sin, ol Sir Meliant, óir níor fhidir neach mo bheithsa san áit seo ach mé.

Ro fheadarsa mór de d'uirscéala re teacht sonn, ol an t-óglaoch niafa, mar sin thánagsa le rá leat nach mbeidh baol duit san fhoraois seo agus nach urchóid duit aon mhíol nimhe dá bhfuil ann.

Maith séan agus soladh, ar Sir Meliant.

Seo é mo thíolacadh duit, ol an t-óglaoch, mar níl neach beo nach bhfaigheann tíolacadh agus is faoi féin atá a ndéanfaidh sé leis.

Agus d'ísligh Sir Meliant a chloigeann in ómós d'fhéile an óglaoich agus shín a dhá bhos ar a chéile agus chuir a ghlúna faoi amhail is go raibh sé ag glacadh an tíolactha a bhí bronnta ag an óglaoch air mar gan an t-óglaoch seo ní fhéadfadh sé aon ní a dhéanamh ach é mar a bheadh braon uisce san aigéan mór ná níor theastaigh uaidh aon ní a dhéanamh a chuirfeadh as don óglaoch nó a chuirfeadh brón air.

Maith sin, ar an t-óglaoch, cibé ní a bhronnaim ort tá sé agat.

Thóg Sir Meliant a ghnúis iar sin agus do chonaic an t-óglaoch ag síneadh a lámh amach chuige amhail go raibh sé ag bronnadh tíolactha air agus bhí réalta idir a dhá lámh amhail réalta na mara agus do ruithnigh soilse dearmháile as lámha an óglaoich amhail a bheidís tapracha agus ríchoinnle an domhain for fursannú ann, nó amhail ba í an ghrian ghlanruithneach a bheadh ina chiorcal cónaí ann.

Agus shín Sir Meliant a lámha amach amhail is go raibh sé le breith ar an tíolacadh solais agus é a tharraingt chuige féin. Labhair an t-óglaoch leis arís go séimh, agus is é asbeirt:

Éirigh, a Sir Meiliant, ataoi slán.

XLVIII

D'éirigh Sir Meliant agus is de ghlór umhal scáthmhar is ea a d'fhiafraigh sé den óglaoch an n-éalódh sé ón olc a bhí san fhoraois agus olc níos déine feadh an bhóthair a bhí ráite ag an óglaoch leis sa tslí is go mbreathnódh a shúile ar an ngairdín a dúirt sé.

Bíodh meanma neartmhar agat, ol an t-óglaoch, más mian leat ón iargúltacht fhiain seo éalú. Tá cathaoir in oiriseamh faoi ridire óg agus d'ainmse greanta uirthi agus í folaithe d'éadach síoda agus ní thógfaidh aon duine an folach sin gan bás nó bithainnimh ach an té a bhfuil sé in araicis dó; mar sin bí ag glacadh d'áite is d'ionaid iomchuí féin ar chlár cruinn an domhain i measc na réaltaí mar is air a deirtear an Bord Cruinn leis ar a chosúile leis an domhan, óir is amhail roth comh-chruinn atá. Agus suíodh insa mbord imdhéanamh na firmiminte agus na spéire agus na n-airdreann gona gcomharthaí agus gona reanna ó sin amach, agus is iomaí eiseamláirí iontacha ar an mbord: agus ar an ábhar sin fágann clanna rí agus ardtiarnaí an domhain a máithreacha agus a n-aithreacha, a gcairde agus a gcoibhneasa le bheith i dteaghlach an Bhoird Chruinn. Bíodh do chroí ar lasadh le dóchas agus gabh an chonair romhat. Cuirim comhairle agus comaoin ort. Bí ag siúl leat. Tiocfaidh forbairt ar do bhíonna. Lean den lorgaireacht agus ná bíodh doghra ná dipreacóid ort, óir is díthairbheach do neach doilíos air um a easpaí saolta nuair is éard is cóir do gach aon a thogra a ghlacadh.

Agus do bhí Sir Meliant seal gan labhairt ar uamhan an scéil a bhí cloiste aige.

Agus labhair an t-óglaoch arís d'fhuighle áilgheana ach fós níor labhair Meliant leis acht beag.

Tiocfaidh gach rud le chéile. Éist. Is ionann claíomh agus coill. Is den déantús is den damhna aerga céanna iad. Ionann adhaint agus frithadhaint. Ionann aingeal agus iolar. Ionann leon agus lann. Is den damhna is den déantús céanna iad. A ridire an chreidimh chúng, bainfidh tú amach a bhfuil romhat óir is duit a tairngríodh ionadh do bheatha féin agus do chonaire féin a chríochnú i ndeireadh thiar thall.

B'álainn mar a líonadh croí Sir Meliant ar chloisteáil an fhriotail sin dó agus bhí fonn air cumann agus codach a shnaidhmeadh leis an óglaoch mar dar leis go raibh aithne aige air le cian d'aimsir.

Mochean dom an turas a thánac, ar sé leis an óglaoch go hiomarcach.

An bhfuil a fhios agat cia mise? ar an t-óglaoch.

Níl, ol Sir Meliant, agus ba mhaith liom a fhios a bheith agam.

Labhair an t-óglaoch ansin agus is é asbeirt:

Mise lúth. Mise lagar. Mise an leon leadartha agus an loscann lách. Mise an tonn bháite is bárc do tharrthála. Mise an torc. Mise an tlás. Mise an bheithir bhuaireas cath. Mise an dragan go nimh nathrach. Mise an deoir ghréine ar an luibh is caoine. Mise an t-iolar is an damh díoghainn. Mise an mheisce mhilis mheallas grá. Mise an deoch nimhe is nua brí. Mise an gríos dearg is an ime sceach. Mise an t-adhmad. Mise am splanc. Mise an fál gan liag agus an lia gan fáil, an fear gan ainm, an t-ainm gan fiodh. Mise an choill is an cheirtlín chruinn. Mise mac na healaíne.

Stad an t-óglaoch agus mhaígh a ghean gáire de bheagán ar a bhéal.

Mise do chrá is do dhóchas. Mise do dhóigh is do chonair dholeanta. Mise do sholas treorach is d'aibhéis adhmhúchta, do ruithne réalta is do mhúirín síne. Mise d'íomhá is do léan, d'aithghin féin is do léirscrios. Mise do choinsias is do chontúirt, do chuimhne laoich is do chluiche caointe; mise do cheann cosanta, is do charraig bhasctha. Mise do scáth sa linn bhán agus macalla léir do mhíthuisceana.

Ba mhóide neamhthuiscint Sir Meliant doiléire bhriathra sin an óglaoich. Bhreathnaigh an t-óglaoch air go séimh le súile cianacha gléghorma na tuisceana agus na trócaire agus dúirt:

Nach bhfuil a fhios agat fós cé mise, a Sir Meliant, ol sé. Mise tús gach eachtra agus deireadh gach áir. Mise an chéad iarracht labhartha agus an iachtach deiridh, an focal fiar is an focal fóinteach, an focal fíor is an focal folamh. Éist liom. Coinnigh an chonair chuí mar is furasta dul an chonair eile síos agus tá an doras ann ar oscailt de ló is d'oíche. Ach do lorg a rianadh siar ar ais, sin saothar, sin obair. Lean ort. Tá tú leonta agus tá créachta ort nár fhéad lia talún a leigheas ach tá damhna iolrachta agus ilmhisnigh don duine sa mhéid sin uile. Anois tá sé in am dúinn ceiliúradh dá chéile.

XLIX

Bhí brón ar Sir Meliant ar chloisteáil na bhfocal sin dó agus ro ghuigh sé ar an óglaoch fanacht leis le siost mbeag.

Is mithid dom imeacht feasta, ol an t-óglaoch agus níor fhaomh dó.

Fan agamsa go léig, ar Sir Meliant leis an óglaoch, óir is maith do dhealbh agus do dhéanamh agus is íon do ghníomh agus is foirfe d'urlabhra.

Ach an t-óglach iomorro níor fhreagair seisean an

uair seo ach amhail nach gcluineadh é agus ro léim ar a each agus ro imigh in éineacht lena raibh d'ainmhithe fairis i bhfodhomhain na foraoise agus d'fhág Sir Meliant ina aonar.

Agus ba dhoiligh le Sir Meliant an ní sin agus ní raibh ar a chumas é a leanúint óir bhí gan each a d'iompródh é agus fós níorbh fheas dó cén áit ar imigh siad nó cén doras a ndeachaigh siad amach as an réiteach iata. D'imigh siad gus an áit ó thángadar amhail an carrfhia a theith leis agus nach bhfeicfí arís.

Á, níor fhan an t-óglaoch ach d'fhág Sir Meliant ina sheasamh ar a throithe ar imeall na móna bige .i. ar imeall an réitigh bhig coille, i lár na foraoise dorcha. Agus d'fhéach Sir Meliant seacha agus do chonaic an choill dhorcha dhubh mórthimpeall agus gan aon neach ann ach é féin agus ro mhaígh a chumha agus a thuirse air gur luigh sé síos gur thit taise agus támhnéal air, agus bhí le hoíche fhada sínte le lár amhail ba mharbh dó, in aice leis an omhna imramhar faoi scáth an bhile ábhail os comhair na beithe ina aonar.

L

Dhúisigh Sir Meliant an lá arna mhárach agus ba é an t-am den lá é béal na maidine niamhraí. D'oscail sé a shúile agus chonaic solas na gréine ar dhath buí na hoirpiminte ag soilsiú na móna bige timpeall .i. an réiteach coille, amhail is go raibh an áit uile á ní le hór leachtach grianda. Agus do ghabh sé ag smaoineamh ar Óglaoch an tSolais a tháinig chuige an oíche roimhe agus ba chuimhin leis an chomhairle a thug agus an tairngreacht a rinne, go bhfeicfeadh sé fós an gairdín aoibhinn. Agus níor ba deimhin leis nach fís a chonaic.

Bhí na héin ag cantain sna crainn timpeall san fhoraois álainn iontach agus chuala sé ó i bhfad i gcéin mar a bheadh buabhall ag seinm ghlao dúiseachta na maidine ó fhorbhallaí cíorach caisleáin éigin. Hé hó, táthar ag glaoch.

Ar maidin mar sin, le cantain na n-éan, d'éirigh an fear óg .i. an ridire fáin .i. Sir Meliant, go hathlamh urmhaiseach i gcéadóir agus do chuir lámh thar a aghaidh. Do ghabh air a éide agus do cheangail air a chlaíomh agus do léim ina ghaisibh roreatha i lár na móna gile agus d'fhéach ina thimpeall. Agus d'fhéach thart, an omhna eidhneánach agus an crann beithe agus an bile mór amhail mar a bhí an lá roimhe. Bhí forbairt ar a bhíonna agus tháinig mothú aoibhnis aerga air. Mhúscail dóchas maith ina intinn. Bhí a spiorad go neartmhar meanmnach.

Maith, ol sé, is mithid gluaiseacht. Meáimis a bhfuil romhainn. Tugaimis faoi, an mharcaíocht áineasach i dtreo an tsolais, bíodh is go bhfuilim gan each, tionscnaítear liom an eachtraíocht aoibhinn dhuaiseach.

Leanaimis orainn cibé más fuascailt, dídean nó dada é a thiocfaidh dá bharr.

Do shiúil sé deiseal timpeall na móna .i. an réiteach, agus do bhí in amhras faoin gconair a ghabhfadh mar do bhí gach taobh iata ann agus gach bealach á bhac agus é timpeallaithe arís chun tosaigh agus ar gcúl ag coillearnach daingean do-imeachta.

Ach bhí radharc eile aige faoi sholas an lae. Féachaint dár thug ar na crainn timpeall chonaic bearna eatarthu nach bhfaca an oíche roimhe. Chuaigh sé go dtí an áit sin i gcéadóir agus scar na craobhacha lena lámh ionas gur fearr a radharc tríd an gcaschoill. Chonaic sé i bhfad uaidh soir ó dheas an choill dhlúth aneachtair réileán féarghlas ar thaobh cnoic, ar an taobh eile de ghleann, faoi lé na gréine agus ceo éadrom ag éirí ina uaithní loma airgeadúla aníos as doimhneacht an ghleanna.

Agus do chonaic sé, archeana, ionadh anaithne ar thaobh an ghleanna ar an réileán féarghlas uaidh: fia athlamh airdléimneach go mbeanna órga ina ruathar glan reatha ó ísleáin an ghleanna fiarthrasna aníos go barr ghualainn an chnoic. Rith an carrfhia leis agus cheap na beanna órga solas na gréine agus bhíodar ag glioscarnach is ag dlithliú. Agus chuimhnigh sé san áit a mbeadh an fia go mbeadh fuascailt. Agus shíl sé gur sa treo sin a ghabhadh sé agus d'fhéach sé ar an bhfia agus scing sé uaidh thar ghualainn an chnoic.

Agus ghabh sé buíochas gur réitíodh as an ainleog ollmhór ba choill é agus go raibh bealach agus fuascailt taispeánta dó agus mian aige leanúint den chonair sin. B'fháilí an té Sir Meliant.

LI

Iomthúsa Sir Meliant iomorro ro thionscain ascnamh for séad. Tharraing sé a chlaíomh as a inteach agus chuir sé an ghrian ar a lámh chlé agus ghabh ag tuargain agus ag teasargan de bhrathbhuillí badhbha de gach leith de ag féachaint le conair a dhéanamh dó féin amach as an bhforaois díomhaoin.

Á
faoi
dheireadh
bhí an t-am ann

na bacanna a chur ar
lár ar neamhní i leataobh le
go n-imeodh sé as féin amach as an
bhforaois uaigneach amach faoi sholas na
gréine lán dóchais agus muiníne go mbeadh
imeall na foraoise uaigní taobh thiar de agus go
mbeadh sé ag siúl i dtreo cnocán an léargais
agus ag tapú a choiscéimeanna faoi dhéin
an chompánachais agus an chomhluadair
agus a ionad imchuí féin ag an
mbord
cruinn agus
go dtabharfadh sé aghaidh
ar iliomad agus ar áilleacht an tsaoil go
dtiocfadh sé aníos is go dtiocfadh sé slán.

Ach do bhí an choill róshean agus an choillearnach
ródhlúth agus an dris chabhlach níos righne ná riamh
agus ní cian gur imigh an cnocán glas ó radharc air le
dlús na coille timpeall. Bhí an slisneadh dian trom ar a
lámha is ar a lann. Ní le haghaidh an chineáil seo batrála
a faghraíodh a faobhar slimghlas. Éineartaíodh é faoi

dheoidh le hiomad an anfhorlainn agus le deacracht na deafa ro fhear sé leis na driseacha .i. tháinig laige air. Ach atá ní cheana bhí cúl a dhoirne scríobtha, osáin a bhríste stróicthe, agus allas a choirp á thodháil. Ach an dealg, an chealg, ba phianmhaire is istigh ann féin a bhí amhail is go raibh a intinn ag sá spíonta ina chroí ar mheasa iad ná fiacail nathrach. Ní raibh aon éalú ón gcoill sin.

Do ghabh tuirse mhór é fá bheith ina aonar arís. Ach in ionad na foilmhe dorcha máguaird é a mhealladh ráinig dó friotal agus fíor an óglaoich a thabhairt chun cuimhne arís, óir ní dhearna fuighle suain díobh ach chuimhnigh sé ar a ndúirt sé leis: go raibh fuascailt ar fáil dó, go n-aimseodh a chonair féin amach as an gcaschoill, go raibh an gairdín ann, go raibh a ionad féin ann dó ach nach raibh a fhios aige é; agus nár mhór dó siúl ar aghaidh agus go dtiocfadh na bríonna uile le chéile. Agus dar leis go bhfaca sé i ndorchadas dlúth na foraoise iliomad bláthanna, an lile bán is an rós dearg ina measc, agus an chonair fholaithe ina lár agus dar leis gur freagra éigin é sin. Agus dar leis go bhfuair ann féin siúl ar aghaidh.

LII

Chuimhnigh sé ar na focla a dúirt an t-óglaoch leis an oíche roimhe agus ba mhóide a mhisneach agus a mheanma sin. Thug fís agus focail an óglaoich misneach dá chroí agus thug an misneach athmhúscailte neart nua dá lámh. Ghabh an athuair ag athchumadh is ag easargain agus ag adhmhilleadh de bhrathbhuillí badhbha de gach leith de. Rinne sé conair i measc na ndriseacha agus má bhí sé go dubhach ar a bheith ina aonar agus ar a bheith fós sáinnithe sa choill agus í a bheith imithe in anchás air arís, fós shiúil sé ar aghaidh.

Ach dá fhaid a chuaigh is ea is dlúithe a d'éirigh an choillearnach. Bhí sé i ndeireadh a nirt agus a acmhainní. Ní raibh a fhios aige céard a dhéanfadh sé. Mura screadfadh sé os ard. Ach cé chloisfeadh é? Murab í Ἠχώ álainn í .i. macalla tláthach féith na coille. Dar leis mar sin nárbh fhurasta dó an t-ionad ina raibh a fhágáil mura bhfaigheadh furtacht mar a fuair Téiséas mídhílis ó Airiádna íon na Créite .i. an cheirtlín a thug slán é as an λαβύρινθος. Ach ní raibh aon cheirtlín aige agus is istigh sa choill a bhí sé i gcónaí.

Sheas sé, chuimil cúl a dhoirn chlé dá chár éadain agus bhreathnaigh roimhe. Ansin coiscéim eile dár thóg sé tríd an gcaschoill chonaic sé arís an réileán sléibhe faoi sholas na gréine agus shantaigh sé a bheith ann ag lusradh sa mhóinéar síothghlas faoi shonas.

Ach teacht as an aimhréidh, as an gcoill dhamanta, agus an cnoc sin thall a dhreapadh, gheobhadh sé radharc ar an gcoill, rud nárbh fhéidir leis a dhéanamh ag an nóiméad áirithe sin mar gheall ar an méid crann a bhí timpeall. Líon a chroí le háthas. B'iontach an smaoineamh é, go bhféadfadh sé teacht as an gcoill

agus seasamh san áit a bhféadfadh sé radharc a fháil uirthi ina hiomláine.

Sheas sé, bhreathnaigh roimhe ar an áilleacht gheal agus ghoin freacnarcas na féinaithne é .i. d'aithin sé é féin ina sheasamh i measc na ndriseacha agus na neantóg, sa tseanchoill, agus é ag breathnú roimhe ar an gcnocán thall. Bhí a fhios aige cá raibh sé agus thaitin sé sin go mór leis; eisean sa choill ag breathnú ar an réileán glas trasna agus ag smaoineamh dó féin gur ghearr go mbeadh sé ar an taobh eile sin, ina sheasamh ar an réileán ard agus ag breathnú anuas ar an gcoill.

Ar an ábhar sin
bhí sé lánchinnte go
bhfaigheadh sé in am
trátha críochnú
an iomthúsa
a bhí tionscanta
i gcoill seo an
díomhaointis
agus go
dtiocfadh
Sir Meliant
fear aineoil
ridire fáin
duine ar
seachrán
isteach
ina áit
féin
arch
ean
a